城市生态景观河湖的调查、研究与设计

李振海　赵　蓉　祝秋梅
魏淑琴　刘　畅　张士杰　著

黄河水利出版社

图书在版编目(CIP)数据

城市生态景观河湖的调查、研究与设计／李振海等著.
郑州：黄河水利出版社，2005.12
ISBN 7-80734-008-8

Ⅰ.城… Ⅱ.李… Ⅲ.城市－生态型－水系－研究 Ⅳ.X321

中国版本图书馆CIP数据核字(2005)第135387号

出 版 社：黄河水利出版社
地址：河南省郑州市金水路11号　　邮政编码：450003
发行单位：黄河水利出版社
发行部电话：0371-66026940　　传真：0371-66022620
E-mail:yrcp@public.zz.ha.cn
承印单位：河南省瑞光印务股份有限公司
开本：880 mm × 1230 mm　1/32
印张：6.75
字数：300千字　　印数：1—2100
版次：2005年12月第1版　　印次：2005年12月第1次印刷

书号：ISBN 7-80734-008-8/X·19　　定价：40.00元

序　言

毫无疑问，人类与水的关系是密切的，而作为人类集中居住地的城市与河湖水系的关系也是密不可分的。自古以来，人类(特别是贵族阶层)把河湖水系当成享受生活的一个重要元素，喜欢在水边安家落户，喜欢营造山水园林，因此也发展起了一项旨在营造舒适美丽环境的山水园林创造艺术。

现代社会，我国城市建设飞速发展，城市规模迅速扩大，河湖水系的效益越来越明显。水系能蓄纳、排泄洪水，能提供水源，同时也有重要的生态功能。此外，河湖水系与城市经济、文化、国际形象等密不可分，是实现可持续发展的重要条件，也构成了城市竞争力的一个要素。现代都市，水畔地带成为市民最喜爱、最重要的活动场所，水系在城市中的地位也越来越重要，人～水关系越来越密切。

由于人们对城市河湖的环境功能的认识越来越深刻，近几年来，我国城市对水系的治理和建设工作蓬勃开展起来。比如北京，2001年以来立项治理河道十多条，共投资几十亿元。此外，近年来河湖治理的思路和理念也发生了巨大变化，由过去只考虑泄洪、输水那种单一的模式，变为考虑生态景观、亲水性、文化性等综合性问题。

生态景观河湖的设计施工与传统的水利工程有很大差别，它没有现成的导则、规范、标准可言，也没有可供移植或照搬的经验。从广泛性、综合性、丰富性、复杂性、文化性等方面来看，它远远超过传统水利工程。它需要设计者有较高的文化艺术素养，对自然法则有深刻的理解，有丰富的科学技术知识，有丰富的想像力，有很强的综合能力，有追求高尚意境、探求世外桃源的兴趣和精神，因此这项设计工作对人的素质要求是很高的。一般情况下，设计人员接到这类设计任务时会感到困惑，感到无从下手，想找相应的参考资料也很难。设计者往往会咨询一些工程及环境方面的专家学者，然而，事实是不少所谓“权威专家学者”往往只能在自己极其狭窄的专业范围内，从纯技术的角度提一些支离破碎的看法和意见，在文化方面则是一个盲点，南辕北辙，反而使得设计者更加迷茫。目前，有关生态景观河湖的研究与设计方面，笔者只看到过译自日本的两本书，有价值、有深度、有观点、有方法、有技术的国内原创著作还没看到。

近几年来，笔者(作为一个工作团队)在城市生态景观河湖的建设方面做了大量的工作。比如，为北京的几条河流环境治理工程编制了环境影响报告书，对京城“六海”的水环境状况进行了跟踪监测研究，为几处城市河湖的设计研究做了大量的工作等。在工作中获得了丰富的第一手材料，积累了许多技术、知识和经验，也形成了一套自己的方法、风格和特点。笔者还对国内近几年完成的一些有代表性的城市河湖治理工程进行了调查，对日本的“多自然型河川”建设的特点进行了研究分析。通过以上工作，笔者对国内外现代城市河湖水系治理建设的理念、方法、特点有了一定的认识和把握。

此外，笔者还对我国一些有代表性的古典河湖水系进行了考察，比如圆明园水系、杭州西湖等。考察后发现，我们的先人在生态景观水系的设计建设方面有着高超的技艺，突出的优点就是设计者有着深厚的文化底蕴，对自然规律及法则有着深刻的理解。关于圆明园，很多学者都研究过其历史遭遇，而对其复杂绝妙的河湖水系这一杰出作品，至今却没见有人研究过。古典水系是一个宝库，它们留给了我们太多的知识，现代人需要从中学习的东西太多。笔者通过考察，对一些古典水系的特点进行了研究分析，从中学习到很多东西，受到很多的启发。笔者还从事了一些环境文化方面的工作，对人类与水关系的内涵有了一定程度的认识。

近几年，“人与自然的和谐”被一些学者叫得异常响亮，成为一种“口头时尚”。然而，“人与自然的和谐”究竟包含什么内容？表现形式是什么？怎样才能做到和谐？笔者曾向很多学者咨询过这些问题，遗憾的是，竟然无一人能够回答出他心目中所想像的场景或概念。“人与自然的和谐”不是一个简单的口号，其中即包含有生态的、景观的因素，还包含有哲学的、文化的、人性的、生活的因素，是需要深入研究的问题，一个“有技术没文化”的“学者”无论如何是难以理解这些问题的。

笔者在前述工作的基础上写出了本书，全书共分为六章 ：第一章从宏观的角度论述了城市与河湖水系的关系；第二章通过4个工程的案例分析了国内现代生态河湖建设的特点；第三章通过3个实例分析了日本“多自然型河川”建设的特点和理念；第四章通过国内4个古典河湖水系的例子分析了先人在设计上的特点；第五、第六章是基于笔者近几年的研究成果写成，在设计及管理上提出了一系列观点和技术方法。前四章侧重于文化和理念，后两章则侧重于技术和方法。本书除了第三章中引用了日本《多自然型河流建设的施工方法及要点》(译著)的一些图片(观点则完全是笔者的)以外，其他文字、照片、图表皆为笔者的作品。

本书面向的读者对象是水利工程、环境工程及城市规划专业的设计及科研人员、政府管理人员；社会、经济、自然、历史、文化与环境方面的专家学者、媒体工作人员；高等院校相关专业的师生；关注城市环境、热爱生活、喜欢文化的社会各界人士。相信本书会有很好的参考价值，也会起到抛砖引玉的作用。同时，缺点、错误在所难免，敬请读者给予指正，笔者欢迎交流，一起探讨科学知识。

最后，本书在写作过程中得到周怀东、杜霞等同志的支持，在此表示感谢！

李振海

2005年10月30日于北京

目　录

第一章 城市与河湖水系的关系

1 城市与河湖水系密不可分

"水是生命之源"。日常生活中人们离不开水，你处处会发现人们喜欢到水边嬉水、休闲，喜欢与水亲近是人类与生俱来的本性。作为人类集中居住地的城市，与河湖水系的关系也是密不可分的。从历史的角度看，绝大多数城市的选址、布局、扩展、建设都与天然河湖水系紧密相关，并且城市建设与河湖改造是交互进行的，可见，我们的祖先很重视城市与水的结合。时代演变至今日，河湖水系已经成为城市功能中不可缺少的一部分，我国的多数城市都有复杂的河湖水系，不管是南方城市还是北方城市都是如此。一个没有水系的城市就像一个先天不足的残疾人，是令人遗憾的。可见，城市与水有着悠久的历史渊源，是一种广泛而又密切的关系。

每个大城市都有为数众多的园林，比如北京的颐和园、圆明园、燕园、王府、北海、中南海等，苏州的拙政园、狮子林等几十处园林，历史上这些园林都是皇宫贵族、达官贵人居住、休闲、赏景的地方。这些古典园林都有一个共同的特点，即都包含有美丽的河湖水系，都对水系形态进行过精心的艺术加工或创造，艺术水平达到了相当高的程度。可见，历史上的贵族阶层把河湖水系当成了享受生活的一个重要元素。新中国成立后，这些古典园林大多数成了对大众开放的公园。不但如此，各大城市又开辟了很多的公园，比如北京市区就开了二十多处，像紫竹院、玉渊潭、龙潭湖、朝阳公园、陶然亭、世界公园等，这些新的公园也同样都包含有美丽的河湖水系。可以说，新中国成立以后，普通市民才开始有条件将园林水系作为享受生活的一部分。

河湖水系是水流通道及水资源储存场所。雨季，它能蓄纳、排泄洪水；旱季，它储存的水可供人们利用(或补给地下水)，为人类生活提供保证；同时，水路也是方便有效的航运通道(京杭大运河就是明证)。古人之所以喜欢滨水筑城，大概主要是基于以上实际用途的考虑吧！今天，人们随着对环境问题认识的深入，对水的认识增加了很多内容：水系是城市的“肺”，是重要的生态景观系统，水畔地带是人类休养生息的宝地，水对改善城市生态环境、提高居民生活质量有重要作用。

元代以来，北京城市建设就是围绕“六海”展开的，周围“王府”云集，素有“先有什刹海，后有北京城”之说，可见,城市与河湖水系的关系多么密切。

照片1　北京市中心“六海”之一的后海(又称什刹海)一景

正是人们对水系的环境效益有了越来越清楚的认识，近几年来，我国各大城市对水系环境的治理和建设如火如荼地开展起来，比较有名的如北京的新转河(投资6亿元)、成都的府南河(投资24亿元)、太原的汾河公园(投资20亿元)等。特别是首都北京，为了迎接2008年奥运会，2002年以来，北京市政府陆续立项治理河道十多条，如亮马河、凉水河、清河等，共计投资几十亿元。过去，投资于河湖治理一度被认为是“打水漂”，没有任何回报。现在政府之所以对河湖环境治理变得热情起来，除了生态环境效益及居民生活以外，还考虑到如下因素:

改善城市的整体风貌，提高城市的档次，增加对投资者的吸引力，重塑城市的形象及口碑，提高城市的综合竞争力，增加城市发展的后劲，为可持续发展奠定基础。

近两年来，笔者考察过不少中小城市(地级市、县级市)，这些中小城市也开始重视水系环境的保护和治理，很多地方都把水系建成了公园，周围植树、栽花、种草，成为居民休闲的地方，为此，小城也增色不少，这是过去所没有过的。可见，随着时代的进步，对河湖水环境的重视由大城市到小城市，越来越普及。

“人与自然的和谐”是环境学者提出的一个理念，也正在成为人们追求的一种理想和目标。然而，“人与自然的和谐”这一概念究竟包含什么内容？人与自然怎样才是和谐的？表现形式是什么？如何才能做到和谐？这些问题不是简单的问题，其中不但包含有生态景观的因素，还包含有哲学的、文化的、人性的、生活的因素，是需要学者们深入研究的问题。近年来，笔者从事了一些水环境文化方面的工作，以北京为重点，对城市的人～水关系进行了一些调查研究，认为人类与水的关系体现在许多方面，既体现在个体性方面，也体现在社会性方面，密切又复杂，有着丰富的内涵。

京城的河湖水系，经各代建设，形成了一个串通环绕、非常复杂的河湖网络。在规划市区1 040 km^{2}范围内，有通惠河、凉水河、清河、坝河4条主要河流，有30多条支流汇入这4条河流。南环水系和北环水系是流过城区核心地带的两条最重要的水系。南环水系由昆明湖、京密引水渠昆玉段、玉渊潭、八一湖、永定河引水渠下段、南护城河和通惠河上段等组成；北环水系由长河、北护城河、亮马河、水碓湖(朝阳公园)、红领巾湖和二道沟组成，连接紫竹院湖、动物园湖、展览馆后湖、“六海”等16处湖泊。市区的这些河湖是在自然状态的基础上，在不同历史时期由人工开挖、整修而成的。新中国成立后，主要修建了永定河引水渠和京密引水渠，市内河湖体系也有了一定程度的改变。自古至今，水系贯穿于北京发展的历史，既有防洪、供水等基本功能，也有改善生态环境、提高居民生活质量的功能，它承载了丰富的文化内涵，与政治、经济、文化、军事、城市建设、居民生活等各方面密切相关。随着现代社会建设的高速发展，居民对生活环境要求越来越高。在此背景下，水系所体现出来的环境效益越来越明显，在城市中的地位越来越重要，人～水关系越来越密切。面对新形势，城市水系的建设与治理面临着更高的要求。

2　河湖周边是市民喜爱的活动场所

当今时代，在繁华的大都市里，马路、楼房、汽车是主要构成要素，吵闹、拥挤、污染是主要特征。人们需要走出家门，需要走进安静、清新、美丽的自然环境中，自由地从事各种锻炼、休闲、观光、文化活动。在今天的都市，你会发现，河湖周边以其独特的魅力成为市民最喜爱、最重要的活动场所。

在任何一座城市的河湖岸边，只要有适宜的空间和环境条件，你都会看到有许多居民从事休闲锻炼活动。在北京，各大公园的水畔都成为居民重要的活动场所，比如玉渊潭、紫竹院、植物园等就具有典型的代表性。仅玉渊潭、紫竹院两处公园，每天到此活动的“常客”都有2万～3万人，无论春夏秋冬，天天如此。按兴趣、爱好又可分为许多族群：散步族、晨练族、舞蹈族、冬季泳族、夏泳族、歌咏族、京剧族、棋牌族、球族、艺术族等，每一个族群都有众多的人数。居民按兴趣自由组合，多数活动已成为有组织性的团体活动，而且达到了相当高的艺术水平。这种活动对居民的身心健康、精神文明、文化艺术修养都有很大的益处。

每到春天，到公园水畔踏青观景的人最多。比如，四月初，玉渊潭公园湖畔的樱花盛开时，一天就能吸引十几万人到此观赏。可见，人与自然的关系是多么密切！

3　有史以来人类喜欢靠水而居

自古以来，“靠水而居”是人类普遍的心理偏好，不仅因为风光好，而且也认为好风水能给自己带来好运气，生活上也有诸多方便，民间

照片2　春天，玉渊潭公园湖畔的樱花盛开，一天就有十几万人到此观光，人对自然美的追求可见一斑

照片3　寒冬过后，冰雪消融，大地复苏，人们走出家门，来到公园湖畔，尽情享受春天的气息

照片4　幼儿园的孩子们也来踏青、观景，文明的社会环境和优美的自然环境是儿童健康成长的重要条件

照片5　紫竹院湖畔的竹林里，上百人组成的合唱团气势恢弘，优美的歌声几乎可以和专业队伍媲美；动人的场面、美丽的湖光竹影，达到了人与自然融合的最高境界

也有“水就是财”的说法。在城市，靠水而居的现象更加突出，比如，北京什刹海周围自元明清以来就是达官贵人居住的地方，数量众多的王爷府就是明证。新中国成立后，这里也成为国家领导人及各类名人居住的地方。

颐和园、圆明园等皇家园林都以河湖水系为景观核心，说明历史上皇家贵族的生活是多么依赖于水，一个没有水的皇家园林是难以想像的。新中国成立后，中南海成为党和国家最高领导机构的驻地，显然与那片美丽的水域有不解之缘。

现代社会，河湖边、公园旁都是居民楼建设的首选。近几年，商人更是热衷于在濒临河湖的地方从事房地产开发，同样的楼房会因为靠近美丽的水域而升值20%～30%。

照片6　自古以来人类就喜欢靠水而居，现代社会尤其如此

4　水系是一个城市的灵性所在

一个城市的诞生与发展与河湖水系息息相关，水系是城市的灵性所在。以北京为例，一直流传着“先有什刹海，后有北京城”的说法，这个说法非常确切地道出了京城的诞生、扩展与河湖水系的关系。自从元代在这里设都城以来，城市布局、建设就是围绕“六海”展开的，

城市建设的同时，河湖水系也得到了治理，最终形成了今天的格局。这些河湖不但对北京的历史非常重要，而且对京城的景观及生态环境也非常重要，它是京城的灵性所在，给热闹繁华的都市增添了三分秀丽、三分灵气，给混凝土世界增添了三分柔和，给喧嚣的城市提供了一片安静的天地，给污染的空气带来了一份清新，给疲惫的城市带来了一丝抚慰。

5　城市水系与政治、军事关系甚密

自古以来，城市水系就与政治、军事关系甚密，历史上几乎所有的城市都有高大的城墙和深邃的护城河。这些护城河不但具有战争防御功能，同时还成为水系的一部分，具有蓄水、泄洪功能。比如，北京的护城河及故宫外围的筒子河既是防御工事，又是河湖水系的组成部分。历代政治中心都离不开河湖水系，比如北京的颐和园、圆明园都是以山形水系为景观核心的皇家园林，在清代是政治活动中心。为了保障城市的粮食及物资供应，古代非常重视水系治理，以保障漕运通道，显然，古代漕运与政治、军事、统治阶级的利益及广大普通百姓的生活是息息相关的。

现代，城市河湖水系作为军事防御手段的功能已不复存在，但是和国际政治依然关系密切。新中国成立以来，作为党中央、国务院驻地的中南海与政治、外交的关系非常重要，有许多对全世界产生重大影响的决策都在这里制定。20 世纪 50 年代，在这里毛主席与赫鲁晓夫唇枪舌剑，显示了中国人不惧强国压力的志气；70年代初，基辛格、尼克松先后访华，在这里受到毛主席、周总理的接见，打开了中美关系的大门，这一事件不但对当时的国际政治、军事格局影响巨大，而且为后来我国的改革开放和经济发展奠定了坚实的基础。我国几代领导人都在这里接见过无数的来自世界各地的最高首脑。

作为一个湖泊，虽然不能参与政治谈判、不能提出自己的观点，然而，它给谈判者提供的环境与氛围却是十分重要的，它也是重大历史事件的见证者。

6 城市水系与经济、文化、国际形象等密不可分

水系具有防洪供水的基本职能，这也是保证一个城市正常运行、社会经济持续发展的基本条件。河湖水系所展现的美丽景色是发展旅游业的重要条件之一，公园景点都离不开水这一要素。濒临水系进行房地产开发也是现代社会经济发展的一个重要特点，许多重要的高级宾馆饭店、商业大厦都临水而建，业者认为水能给他们带来财富和好运。

水系与文化也有密切的关联，许多大城市的河湖水系与历史文化有着不可分割的联系。北京更是如此，作为一个文化古都，从古至今，市内及周边的每一条河、每一个湖泊都有着不凡的来历。现代社会，河湖水系经常成为文学家、画家、词曲作家的创作对象和场所。电视、电影更是经常把水系作为不可缺少的画面背景。一些集体性文化活动(比如中秋赏月赛诗会)经常选择在水边举行。文学艺术创作者在构思一些伤感、落寞、浪漫的画面时，经常会把水、月、星、落叶等自然元素加进去。

水在古人的文化中也一直占据着重要的位置，李白、杜甫、苏轼等古代文人的诗词中经常离不开水。圆明园是清代皇家园林，赞美园内山水的诗词据说有5 000多首，可见，其山水与文化是多么密切的关系。

河湖水系与教育环境也有着密切的关系，北京大学、清华大学等国内许多知名大学校园内都有景观河流和湖泊，北京大学校园内的“未名湖”就是典型例子。有山有水才能使校园变得更美丽、更富有灵气，使读书环境更加优越。最近，郑州东部新区和济南西部新区都规划了大规模的大学城，都以河湖水系为区域景观核心，对河湖水系的治理与开发进行了精细规划和设计。可见，未来的教育区更加重视水系，重视它所提供的生态环境和景观。

显然，北京、上海、广州这样的国际化大都市都离不开河湖水系的装点。这些都市里，来自国内外的游客、高官、商人、学者、名人

照片7　未名湖是北京大学的象征，体现了河湖水系与文化教育的关系

大量云集，环境如何是他们评判一个城市优劣的最直接、最重要的因素。像奥运会、世博会这样影响特别重大的国际性活动，环境的好与坏是影响申请及举办成功的重要因素。一个好的口碑及印象，会对城市的社会经济发展产生长远的、潜在的影响，是可持续发展的重要条件。

7　河湖是深埋于人心的地标

地标是在人们心目中占有重要位置的地理性标志，比如村头的高大老榆树、村前的池塘、村东的小河、村北的山头都可成为地标。特别是在儿童的心目中，家乡的地标可能成为他们心目中永远记忆和怀念的对象。不管在农村还是在城市，河湖水系都是附近居民心中的地标。在河边的儿童长大后去远方工作和生活，“故乡的小河”往往是他们怀念的重要内容；回到故乡，看到依然如故的小河会勾起他们对童年的回忆，如果小河被填埋，他们就会感到失去童年的一些宝贵记忆。

对此，笔者也有很深的感受，2005年9月，时隔5年本人回到山东老家——一个普通的村庄，由于街道改造，村子原来的小巷子已变成了宽阔的马路，村前的几片坑塘也被填死盖了房子，那口砖砌老井也不见了。环顾良久，迟迟认不出这就是故乡，顿时感到了一种失落，感到自己就像丢掉了故乡、丢掉了过去、丢掉了童年，站在那里无限怀念以前的景象，后悔自己来得太迟，没有把原来的景象留在相机中。于是，我迫不及待地来到村东的小河，看到小河依然如故，才舒了一口气，只是发现大堤被修高速公路的取走了一些土。我拿出相机把小河里里外外照了个够，心里害怕有朝一日小河会被别人填死，如果那样，故乡与我也就没有什么关系了，故乡也就没有多少可思念的了。

8　人～水应和谐相处

人～水若能和谐相处，则对城市政治、经济、文化、居民生活产生巨大的效益，若人～水交恶则两败俱伤。下面举几个例子(以下例子都是笔者在环保工作中的积累)。

例一：20世纪50～70年代，北京在城市建设中轻视河湖的存在，随意填埋了大量的河湖，如护城河被填埋或盖成暗沟(污水排放沟)，转河被填埋盖房修路，太平湖被填死修建了环城地铁总站，北环水系被搞得支离破碎。2001年，奥运会申办成功后，为了改善京城环境，市政府要对北环水系进行恢复治理，将水系建成“水清、岸绿、流畅、通航”的生态走廊。然而，要想恢复其完整性非常困难，大部分已不可能。比如，不可能拆掉环城地铁总站再挖成太平湖，高楼不可能拆掉再挖成河道。只有转河得以恢复，因为填埋的转河故道上多为平房、小路，拆迁成本还能负担，也符合北京危房改造等城市建设大政策。恢复一条小小的转河(长3.5 km，宽20 m)，花费了6.2亿元，其中50%是拆迁费，使人类付出了沉重的代价。北京市北环水系的例子，实际上是人们在认识及行动上走了一条弯路，具有典型的代表性。这一例子说明，人应该尊重河湖的存在，人与水要和谐相处，否则，人类最终要为自己的行为付出代价。

例二：北京亮马河有一段500 m长的河道污染非常严重，都是排污和人为弃污造成的，河水臭味熏天，两岸居民叫苦连天，河边成为无法接近的地带。紧靠河的南岸有一个现代化的小区，叫“胡家园小区”，是北京市的模范小区。“靠水而居”的胡家园小区并没有得到亮马河的恩惠，而是深受其害，夏天，由于臭味难闻，靠河楼房10层的住户都不敢开窗子。该河段的北岸(与胡家园小区隔河相望)有一片平房区，名字叫小关村(2004年夏天已经拆迁)，岸边的平房居民告诉我们，蚊虫很多，每年夏天要施洒农药灭蚊蝇，一位老太太一年用了6瓶敌敌畏，这样施洒农药显然又会加重水体的污染，形成恶性循环。

例三：京城南郊的凉水河几十公里长，整个排污河道，污水滚滚流淌、臭味难闻，严重制约了沿线城市建设。如果凉水河是一条水流清澈的河，沿线不但会成为几十万居民喜爱的活动场所，更会成为一条蕴含无限商机的商品住宅开发带。

从以上3个例子来看，不管怎样，人是主动者，河湖是被动者，是人类破坏和污染了水系，河湖对人类的报复是它们的一种被动反应，是一种因果效应。人类需要保护水系、治理污染、美化环境，实现人与自然的和谐相处，为人类本身的生存与发展创造条件。

9 从人～水关系看城市水系的保护与治理

从前述分析可以看出，从古至今，城市水系与人类社会方方面面的关系是多么密切！实际上，人类与水是共存共荣的，因此我们要保护好河湖水系的环境。笔者从近几年的实际工作中认识到，在城市河湖水系的治理与保护中，应考虑以下几个方面。

9.1 要保护好水系的完整性

20世纪50～70年代，北京填盖河湖的事件是一个历史性的教训，不能把当年事情发生的责任归咎于哪一个人，原因在于社会整体认识水平的不足，也就是时代的限制。但是，我们必须吸取历史教训，在以后的城市建设中，要保护好城市河湖水系的完整性，使水系成为一个完整的生态系统和景观系统。

2004年，上海一个报社的记者几次打电话给笔者，反映说，上海某地城市开发中计划填埋3条小河，在社会及媒体界引起了争论，征求笔者的看法。笔者告诉他：“上海填河造地的具体情况我不清楚，不能枉下一个绝对的结论。但是，根据北京市填河造地的历史教训，根据我们近几年在工作中的认识，根据笔者个人的感受，提出如下看法：填河的事情不可轻率从事，应慎之又慎，一般情况下不宜随意改变河流的布局，在万不得已、必须填河的情况下，应该从城市建设、环境保护、技术经济、历史文化等方面进行充分的科学论证，还应在工程界、环保界、学术界、媒体界及社会大众中进行广泛的讨论，确实搞清楚利弊所在，最后的决策才可能是最科学的。”记者对笔者的观点表示了赞同。

9.2 对水系污染进行综合治理

目前，我国城市的河湖水环境受污染较严重，水质多较差，对社会、经济、人民生活、城市形象等造成的负面影响很大，是涉及面很广、治理难度很大的环境问题，也是大都市最严重的环境问题之一。笔者通过深入的调查后发现，城市河湖污染治理决不是一件简单的事情，需要政府各级部门加大治理力度，还需要全社会通力合作，采取一种综合性的治理措施，建立全社会参与的防治体系才能从根本上解决问题。

9.3 逐步建设生态平衡、景观优美、自然和谐的河湖水系

我国城市河湖的传统治理一般比较简单、粗糙，水泥护砌，只要能流水就可以了，目标主要是防洪。要改变过去那种传统的、单一目标的治理模式，需要在考虑防洪、供水、旅游等基本功能的同时，更要考虑生态平衡、景观优美、物种多样、自然和谐等因素。

9.4 应充分考虑不同水域的历史文化背景

由于城市的每一片水域都有悠久的历史背景，承载着许多历史故事，在编制治理规划时，应照顾各自的特殊性，保持其历史特点。比如，北京的护城河进行治理时，不宜于建成崎岖多变的“多自然型河道”，而应保留其具有军事防御功能的“护城河”应有的特点，维持其历史功能的传承性，这也是保护京城历史文化的重要内容。笔者的观点是“美人就应该像美人，将军就应该像将军”。

9.5 要充分考虑人与自然的和谐问题

水畔地带作为闹市中难得的清新、安静、美丽的地方，环境优越性越来越凸现，成为居民越来越喜爱的活动地，对居民生活越来越重要。因为城市居民文化水平高、环境保护意识强，从事各行业的人都很多，不同的人群对河湖环境的要求差别较大。因此，在未来的河湖治理中，特别要充分考虑人与自然的和谐问题，考虑不同人群的不同需要，河湖治理方案的制订决不是简单的事情，从人群需要的角度要考虑的问题就非常多。

目前，我国城市在制订河湖治理方案时，多是仅仅靠水利设计部门再加上景观设计单位的配合，实际上，这是远远不够的，还需要历史文化学者、艺术家及大众的参与才能真正制订出一个科学、完美的治理方案。

第二章 现代城市河湖水系治理工程案例

第一节 北京新转河

新转河是北京市北环水系西部的一段，起点在北京展览馆后湖，上接长河，从古高梁桥北行折向东，绕过西直门火车站，穿过学院路再向东南，终点在新街口外大街东侧的北护城河，全长3.7 km。2002年底开挖施工，2003年9月完工。河道兼具防洪、输水、通航三大功能，并具生态、文化、环境功能，设计中综合考虑了以上各种因素。根据不同河段的地理条件，将不同的河段赋予了不同的内涵，河道从上游至下游设计为6个类型的河段："历史文化园"、"生态公园"、"堆石水景"、"游水画廊"、"亲水公园"、"绿色航道"。每段长在400～800 m范围，每段河道的建设特点不同。

历史上这里曾经有过一条河叫"转河"，1970年城市建设时填平了，建了铁路、房子和小街道。2001年，北京申奥成功，市政府决定整治河湖环境，恢复转河，打通北环水系，实现"水清、岸绿、流畅、通航"的目标。沿线拆除了大量平房，为新转河打开了一条通道。新转河线路和老转河有所不同，但是，位置大体是相同的。

新转河设计理念反映了时代特点，设计和施工都有较大的难度，在京城的河湖建设中，是一次新的尝试，也是理念上的一大进步。笔者为本项目编制了环境影响报告书，提出了许多建议和措施，对工作过程也比较了解。工程完成后，笔者对河道的生态环境状况进行了跟踪调查。结合以下照片进行评述，看看新转河的特点。

1 “历史文化园”河段

照片1 （2003年11月，完工后两个月）这是新转河起始段（历史文化园）岸边一景，为水生植物生长设置的一片场所——植物床，地形平坦，铺了厚厚的泥土，摆上了一些景观石。河道正常水位时，该植物床淹没水深约30 cm，适合水生植物生长

照片2 （2004年9月，完工后1年）与照片1是同一处场所、同一个角度拍摄的景象。1年后水草、莲藕已长得不错，景象比较柔和

照片3 (2005年9月，完工后2年)2年后植物长得更加茂盛，荷叶、芦苇高高挺起，景象更柔和

照片4 “历史文化园”河段内建设了一处码头，墙壁上贴了一幅大型陶瓷壁画。清代这里就有一处码头，皇帝和慈禧太后经常从这里坐船去颐和园，壁画就反映了这一历史画面，画上人物众多，场面热闹，栩栩如生。该图叫《春水游幸图》，牌文写着“昔日帝王乘舟西游，今日故道重修，碧岸清流，昌我盛世”

2 “生态公园”河段

照片1 (2003年11月)新转河中间挖了一道深河槽，宽约20 m，断面形态为梯形，块石护岸，主要是为满足泄洪、通船的要求。“生态公园”河段长约800m，两岸全部设置了平坦的植物床，床宽在2～8 m之间，用块石或木桩围护，里面铺了许多卵石，边界曲折，外侧设置了人行道，便于人们游览。冬季已至，种植的植物已经枯萎，春天到时，河道水位将升高，植物床被水淹没，形成浅水滩，水生植物会发芽生长。这里用于河道建设的通道相对较宽，可以满足这种设计，如果通道狭窄则不能实现这种设计

照片2 (2003年11月)左岸设置的植物床。虽然景象凄凉，但可以清楚地看到河道断面的结构

照片3 (2003年11月)设置了木板平台，供人们观景

照片4 (2004年9月)“生态公园”河段共种植了40多种水生植物，完工1年后，都长得很茂盛。此时的河道为正常水位，中间的深槽也看不到，植物床被淹在水面以下。看上去景色很美，吸引了不少游人来此观光、赏景

照片 5 (2004 年 9 月)时值中秋，一些水草变得金黄，在秋风吹动下，很有田园般的味道。河岸不再是传统的笔直陡立型护岸，而是由块石构成，岸线曲折，岸坡起伏，形成富于变化的河岸景观，并保证良好的水生态环境。岸坡上植物采取乔、灌、草的错落配置，景观接近自然，更符合生态多样性原则

照片 6 (2004 年 9 月)由于水边植物较多，河道里的鱼类品种数量明显增多，吸引了很多居民来此垂钓，岸边的大石头成为垂钓的最佳位置

照片7 (2005年9月)两年后岸边的水生植物更加密集、更加茂盛，种类也增多了，景观更优美，成了名副其实的生态景观型河道

照片8 (2005年9月)河道全貌。秋天河两岸植物茂密，不同种类的植物呈现着不同的形态和色彩

照片9 (2005年9月)在转河一角，正在举办秋季赏景、垂钓活动

3 “堆石水景”河段

照片1 (2003年9月)照片为“堆石水景”河段(长约400 m、宽20 m)，河岸由大型块石重叠而成，乘船通过时，“悬崖峭壁”、“怪石嶙峋”，颇有在峡谷中穿行的感觉。岸边设置了供居民观景、垂钓的平台，还有人造瀑布。在“生态公园”河段的下游，由于受居民楼及交通干道的限制，河道用地狭窄，没有空间开挖像“历史文化园”、“生态公园”那种开阔形式的河道，只能因地制宜，改换形式，设计其他形式的景观

4 “游水画廊”河段

照片1 （2003年11月）“游水画廊”河段岸边设置了亲水平台及宣传画廊，画廊墙壁上贴满了各种动植物图画，并配有解说，是进行生物科普教育的好地方，也是人们休闲的胜处

照片2 河段直立的水泥岸壁上，刻录了几十首历代著名文人的诗词及名言警句，书法风格各异，似乎成了文人墨客的赛诗会，极富有文化气息

5 “亲水公园”河段

照片1 “亲水公园”河段两岸都是大型住宅区，岸边设置了一系列亲水平台、花坛、绿地和活动场地，成为附近的居民喜爱的休闲、锻炼、赏景场所

照片2 (2004年9月)人们在“亲水公园”钓鱼的景象。对面岸壁上刻了50条龙，依次反映了几千年来“龙”——这一中华民族的图腾演变的历史。龙均为石刻，立体图案，活灵活现，艺术价值很高，都是中央美术学院的作品

6 “绿色航道”河段

照片1 (2003年11月)建好不久的“绿色航道”河段，受条件限制，河道只能设计成直立式。在岸壁脚下为野鸭修建了小房子及条状的小院子，水面上可以看到成群的鸭子在追逐嬉戏，生活得很幸福，给人一种生机盎然的感觉，设计者考虑得很周到

照片2 (2004年9月)1年后成了名副其实的“绿色航道”。在岸壁脚下设置了供植物生长的平台，或者用水泥桶装满泥土放置于岸壁下，河岸两侧都铺了绿化带，上下种植了藤本植物、花草、灌木等，藤蔓遮挡混凝土岸墙，两岸绿色宜人。岸边设置了一些观景台，供人们观景用

7 小 结

从新转河设计的特点可以得到如下启示：

(1)新转河的设计风格既不同于日本式的“完全自然型河流”，也不同于普通的园林设计，而是因地制宜，采取将人工与自然结合的模式，内容更丰富，更适合于工程所在地周围的大环境。

(2)城市河流建设或治理时，在考虑防洪、输水、通航等基本功能的基础上，要充分考虑生态环境、历史文化、社会人文等方面，在各方面都发挥出特点，这样的河流才符合时代发展的要求。

(3)在空间允许的情况下，河岸最好不要设计成传统的笔直陡立型混凝土护岸，适当利用块石、鹅卵石、木桩等营造一个岸线曲折、岸坡起伏的形态。在岸坡上给陆生植物以及在岸边给水生植物的生长营造适宜的场地，将多种植物交替配置，既接近自然，又实现了生态多样性，使人们可享受到回归自然的乐趣。

(4)在空间不允许、河岸不得不采用直立岸壁的情况下，也要尽可能地为植物的生存创造出一点空间。

(5)不要忘了动物，尽可能地为它们创造一个安全的栖息地，使这个世界更多姿多彩。

(6)要充分考虑人与自然的和谐，沿河设置亲水平台、浅水区、活动广场、小路、凉棚等，使人更容易亲近于水。

(7)注重将河湖水系的历史文化内涵融入河道景观设计中，体现工程的文化内涵。

(8)设置了生态环保科普及宣传教育区，使人们在享受水景的同时，也能学习到科学知识、接受教育并提高对环境保护的认识。

第二节　太原汾河公园

汾河是黄河的一级支流，从北向南经过太原市，河道十分开阔。太原市将市区河段进行了综合治理，形成了一个开放式的公园，取名曰“汾河公园”。

汾河公园景区长6 km、宽500 m，其中河道宽约300 m，两侧滩地宽各约100 m。河道由四道橡胶坝拦水形成三级蓄水湖面，两岸各布置一条排污暗涵，截流沿线城市排污管道来水送至污水处理厂进行净化处理。工程对河道进行了护岸治理，对滩地进行了绿化造景，设计上考虑了防洪排污、环境保护、园林绿化、旅游观光、休闲健身等功能。治理工程于1998年10月开始，2000年9月首期工程完工并对外开放。目前，太原汾河公园水质清洁、景色美丽，成为市民纳凉、休闲的好去处。

2001年12月28日，国家建设部授予该项目“中国人居环境最佳范例奖”，并推荐给联合国申报人居环境有关奖项。2002年5月30日，联合国人居署决定授予太原汾河景区为“2002联合国迪拜国际改善人居环境最佳范例称号奖”—— 联合国每两年对国际社会改善居住环境作出突出贡献的城市授予的最高奖。治理前，汾河杂草丛生，泥沙淤积，污水漫流，垃圾遍地，生态环境状况很差。从规划设计到施工建设坚持了“以人为本”的理念，围绕“人 · 城市 · 生态 · 文化”的主题，把河道治理、环境保护、城市绿化有机结合起来，把汾河变成了贯穿城市的一个绿色走廊，在人与自然的和谐、城市建设与环境保护的协调方面，是一个成功的范例。在一个人口密集的大都市，如此大规模的水面及绿地，对净化空气、调节气温、增加空气湿度有着重要作用。据观测，该区域夏季最高气温比其他区域降低4℃左右，相对湿度提高10%～20%。

新中国成立初期，太原汾河两岸树木茂盛，曾经有64种鸟栖息繁衍，其中有国家一级保护动物黑鹳。到了20世纪90年代，这里仅剩下喜鹊、麻雀等不到10种极为普通的鸟类。

这次治理工程，特意在不同河段保留了原有的2万余平方米的绿洲作为水生生物、鸟类的栖息地。汾河景区建成后，2002年，有关学者对汾河景区的鸟类生存、繁衍情况进行了观察研究，在汾河景区拍摄到48种鸟，其中有濒临绝迹的紫背苇鸟以及新中国成立初期在汾河太原城区段从来没有发现过的灰头麦鸡、黄斑苇鸟、花鸠、高跷鸺、紫鹭、白骨顶等珍稀鸟类。

此外，178万m^2的河道水面投放了近万斤各类鱼苗，为不同群体的互为依存营造了良好的生存环境。

笔者曾几次到该公园考察游览，认为能将一个污水横流、垃圾遍地的开阔型河道(包括河滩、堤防)整治成一个清洁、美丽、生态的大型公园的确很不容易，它在水质保护、生态建设、景观设计等方面也有许多独到之处。但是在一些方面也有不尽人意的地方，如给人一种平面化、模式化、峭壁化、人工化的印象。从中总结经验，对于城市生态河湖的建设是有参考意义的。下面结合一些考察照片进行评述。

1　河滩绿地

照片1　河滩绿地

在河道两侧的河滩地，都铺上了草坪，沿着河边铺了一条笔直的小路。看起来视野开阔、清新宜人、景观不错，但也存在一些问题，如绿化模式雷同，“一条小路、一片草坪、几棵小树”，属于典型的城市化绿化形式，缺乏个性。总体风格太过人工化，一点一滴都由人工雕琢，缺乏自然“野味”，管理起来成本也较高。显然设计上抱着“只让人看，不让人进”的思路，没有考虑人类进入自然的通道，在人与自然之间形成了无形的障碍，设计理念并不先进。进入公园后，你只能沿着河边不停地走，不停地“观景”，没有地方停歇，喜欢文体活动的居民在此也不易找到理想的场地，存在“好看不易融”的问题。

河滩绿地也是完全平坦的，没有起伏多变的地形，缺乏美感，可能是设计上考虑了滩地行洪的问题，起伏的地形会减小行洪能力。实际上，汾河上游已修建了两座大型水库，防洪安全有充分的保证，在滩地边缘做一些地形是有条件的。

2　治理后的汾河河道

照片 2　治理后的汾河河道。汾河治理最大的成功是彻底截断了城市污水，使河流水质保持了清洁。宽阔的水面上无丝毫漂浮垃圾，看上去爽心悦目，但混凝土浇筑的河岸成直线形峭壁(全线都是如此)，这种形式的护岸阻隔了陆地与水域生态系统的联系，景观上显得较单调

这种水泥护岸与“自然型河道”景观差距太大，岸上植物无法生长，对鱼类栖息繁衍不利。高高的峭壁对游人安全不利，水面距离地面高2.5m，把人与水隔开，缺乏亲水性，但也有优点：非常坚固，不易损坏，下大雨时不会产生水土流失，能够耐久；有利于行洪，大水不会将河岸冲毁。

汾河是一个天然河流，不是人工开挖的，在治理设计时应该考虑它的天然性，河岸形态完全可以分段设计成多种形式，尽量与天然河道接近。比如，一部分河岸可以设计成缓坡，用植物防护或用块石护砌，水边可以建设一些供水生植物生长的塘床，那样的景观将更符合

自然，生态环境更好。

3　河心岛

照片3　河心岛。汾河公园最大的成功之一就是在河道中心保留了几处原有的河心岛(总面积2万m^2)。岛上有水柳及各种挺水植物，郁郁葱葱，不但丰富了景观层次，更主要的是为水禽、鸟类提供了一个安全、适宜的栖息地，水边草丛也成为鱼类畅游、觅食的地方

据说，汾河治理后，每年都有越来越多的鸟类在此落脚、喝水、觅食，鸟的种类由治理前的10种(普通种)增加到现在的50多种，其中有不少是国家珍稀保护物种，河心岛成为水禽及鸟类的世外桃源。可见，在一个繁华的都市中，水域中保留一个小岛是多么的重要。在城市河湖治理设计时，一定要想办法保留一片“人类踏不进的土地”。

4　野鸭嬉水

照片4　野鸭嬉水

清清的河水，碧波荡漾，鸭妈妈带领两个孩子在尽情地嬉水，它们无忧无虑，因为附近就是河心岛，有一个安全的家，住在岛上不但能避免人类的打扰，还能避免其他陆地兽类(比如黄鼠狼)的侵害，所以，日子过得很悠闲。

5　和谐的城市景观

照片5　水面、桥梁、建筑交相辉映，展现了一幅和谐的城市景观。由于河道非常宽阔，整个景色看起来很大气

6　公园中的活动场地

照片6　小学生们在家长陪伴下参加学校组织的活动，观赏祖国的大好河山，进行环境保护教育，进行诗歌、体育比赛，既增长了知识，又促进了身心健康

可见，一个美丽、文明的环境对于孩子的成长特别重要，这也是人与自然和谐的一个重要方面，由此看来，在以后的城市河湖治理中，要特别重视这方面的问题。

7 美丽的艺术

照片 7 美丽的艺术

2003年是太原市建城2500周年，市政府准备在汾河公园举行大型纪念活动。在河滩地草坪上，各学校制作了各式各样的艺术品，有城堡、人物、旱船等，看起来十分漂亮。城市河湖的治理需要考虑大型公共活动场所，这也是人类历史、文化与自然相融合的一种方式，也是人们需要环境、关注环境的最重要时刻。

8 小 结

太原汾河公园是将流经市区的一段大型天然河道进行综合治理后形成的，其成功之处在于：完全截断了污染物入河途径，河道污染得到彻底治理，河水得以还清；日常水环境保护管理工作到位，保持了大水面的干净、整洁；利用和保护了河中岛屿，为水生植物、水生动物及鸟类、水禽等提供了一片良好的生长、栖息地，生态环境质量大为提高；两岸绿化及总体景观配置都是非常成功的。能把如此大规模的河道治理到这种程度是很不容易的，整体来看具有鲜明的特点。

但设计中也存在一些不足之处：两岸大面积的河滩绿化都采用了普通的城市园林绿化手法，人工修整特点强烈，自然生态性显得不足，人与自然的融合考虑不足；河岸都是混凝土直立岸壁，与自然河道岸线性质截然不同，缺乏生态性和亲水性，景观也单调，将来如条件许可，可进行适当改造。

第三节　北京植物园景观水系

北京植物园位于西郊西山脚下，靠近香山公园。2003年，植物园内的河湖水系进行了大规模开挖治理，工程内容如下：在原水系的基础上开挖、整修了大小湖泊7处；对1.5 km长的河道进行了精心设计、施工，分段建成了生态景观型河道；利用地势高差，在水流沿线设置了数处堆石叠水；铺设了输水管道，打井抽取地下水，通过管道输送到樱桃沟源头。水流沿着樱桃沟流出山口，进入景观河道，一路流向东南方向，流过一连串的湖泊，最后流入位于公园东南边沿的大湖，再渗入地下，形成一个地表水～地下水的循环流动。河湖水系全长约2.5 km。

这一治理工程使植物园新水系成为公园的景观核心，为公园增添了灵气，成为京城市民喜欢光顾的地方。该工程能因地制宜，将水系整治与周围自然环境巧妙结合，无疑是一个成功的例子。下面结合照片进行评述。

照片1　樱桃沟。抽取的地下水通过埋设于地下的管道打到半山腰处的樱桃沟源头，再让水流沿着樱桃沟流出。沟底铺满了乱石，沟边长着水草，两侧山坡上树木郁郁葱葱，夏天气候凉爽宜人。这景色是人工建设与自然环境结合的产物，显然使山沟环境变得更富有灵气（注：平时的樱桃沟是干涸无水的）

照片2　从樱桃沟流下来的水沿着这样一条小河继续流淌，河道为2～3 m宽。施工时先将河道做成一个断面为梯形的水泥规则河道，之后在河底填上一些沙土、石子，摆上大大小小的卵石，在岸边无规则地放置一些大块石，水边再植上一些水草。几经点缀，河道就变得有点“天然河道”的味道

照片3　用块石、卵石、水草装点的小河，清清的水流潺潺流淌，加之两岸良好的绿化，成为游客喜爱驻足的地方，节假日来植物园的游客很多，多数是沿着这条小河行走。应特别注意，河道中石头的摆放应显示出“随意”、“无规则”、“乱七八糟”的特点，这样才贴近自然，才能有一丝“野味”

照片 4　随意放置于河道中的石块对水流起到了阻挡调节作用，使得河道内不同位置的水深、流速、流向、流态各不相同，使水流更逼近自然，景观上也增加了一丝趣味

照片 5　水流从山沟里流下来，流程有 2 km，两端落差约 100 m，利用落差营造了多处堆石跌水，使得景观更丰富，给游客创造了更多样的游乐场所，每一处落差附近总是吸引了大批观光客

照片6　小河、块石、跌水，加上两岸各种各样、郁郁葱葱的植物，营造出了一条雅致的景观走廊。每一段河道的石头配置都不同，这一段河道都是大型块石，小的卵石很少

照片7　小河每流过一段距离就进入一个小湖泊，小湖平静安详，给人另外一种感觉，水流在一阵匆忙流淌之后，也找到一处“客栈”，终于可以歇歇脚了

照片8　不同的河段风格不同，你看，这段河道里用卵石垒起了一道道堰，形成了石头跌水，宛如儿童嬉水的作品，看起来很轻松随意，富有乡间情趣

照片9　这段河道又是一种风格，用大块石将河岸垒得犬牙交错，结合两边的绿化，看上去也显得爽心悦目。块石既是重要的景观要素，又是游客们喜欢落脚、休息的地方

照片10　小河最终流进了下游开阔的湖泊，到达了终点。站在湖边，看到的是青山绿水的大画面，山青青、水碧碧，山水相映，令人心旷神怡

小　结

作为城市公园的景观水系，北京植物园新河湖水系设计无疑是成功的。其成功之处在于：能够依照山势特点，依照周围绿化特点，利用原有的河道流路，对河湖系统进行巧妙的布局；河道与湖泊规模的设计与当地水资源供给的能力是相适应的；河道及湖泊形态逼近自然，两岸植物多样，层次丰富，生态环境良好，与植物园的性质相匹配；贯穿了以人为本的理念，具有很强的亲水性；河湖水系与近处的公园树林及远处的山峰形成了一个山水相映、层次丰富、柔和美丽的景观体系；能够被广大市民所喜爱，能够吸引大量的游客来此观光。

但是，从水资源保护的角度来看，也存在一些不利之处：抽取地下水流入河湖，无疑增大了水量蒸发损失，地表水也容易遭受污染，这样长期运行下去，湖泊易发生营养物质富集，产生富营养化。在北京这样一个水资源严重短缺的地区，以地下水～地表水循环的方式来维持一个大型景观水系的做法必须慎重，前期设计时必须进行严格的科学论证，政府水资源行政管理部门必须对此类项目的审批严格把关。

第四节　成都府南河活水公园

府南河属于岷江水系，上游为走马河，源于都江堰，流至成都分为府河和南河，府河从市区北东侧流过，南河从市区西南侧流过，二河在合江亭处又汇合。府南河已有2 300年的历史，是成都市的母亲河。20世纪60年代以后，府南河两岸居民平房越来越密集，河道淤积严重，水患频繁，水质越来越坏，河道成为一条排污通道。有一首打油诗形象地反映了水环境的变化：“五十年代淘米洗菜，六十年代水质变坏，七十年代鱼虾绝代，八十年代不洗马桶盖”。1986年，一个小学生给市长写信提出了“还我锦江清水”的呼吁，最终引起市政府及全社会的重视。市政府动员了全市的人力、物力、财力投入府南河，从1992年至1997年历时5年，投入资金27亿元，百万市民大参与，对府南河进行了大规模综合治理。

府南河综合治理工程包括河道整治、污染治理、道路建设、管网建设、滨河绿化、安居工程等内容，共搬迁居民3万户10万人，对推动城市基础建设、改善生态环境、保证城市可持续发展具有重要的意义。1998年获联合国人居奖，活水公园获得国际水岸中心“优秀水岸奖最高奖”。

2004年8月，笔者对府南河的部分河段进行了考察，对活水公园留下了深刻的印象。活水公园位于城北府河南岸，实际上是一片氧化塘湿地污水处理系统。公园依地势而建，设计巧妙、理念先进、景色美丽、生态环境良好，既是一处科普教育场所，也是休闲观光的好去处。

以下为治理后活水公园的照片。

照片1　在活水公园展览馆拍摄的历史图片。治理前的府南河两岸民房拥挤不堪，河道淤积、污水横流、水患严重，环境状况极差，严重影响居民生活质量及城市可持续发展

照片2　治理后的府南河，平房均被拆迁，污水得到截留，河道得到治理，环境状况大大好转，但河水依然有一定程度的污染

照片3　在一个土丘的顶部建了一个圆形的储水池，该池直径12 m，容积780 m^3，名为“厌氧沉淀池”，这就是湿地污水处理程序的始端。用水泵将河水注入该池，进行第一道工序的处理。悬浮物沉于池底，从排泥管排出，悬浮物由人工打捞出池，可溶性有机污染物在厌氧微生物作用下，分解成甲烷、二氧化碳等低分子有机物，排入大气或随水流出。之后，水流在重力作用下流入下一道工序

照片4　来自“厌氧沉淀池”的水沿着这样一条由石头“莲花”串联组成的、富于艺术性的水道流向湿地氧化塘，进入下一个处理环节

照片5　人工湿地氧化塘一景。人工湿地氧化塘是活水公园水处理系统的核心部分，由6个植物塘、12个植物床按地势、分梯级组成，布局非常巧妙。在设计上，池子形态模拟黄龙五彩池景观，均为弧形，像鱼鳞，好看而富有特点。污水在流过这样一连串湿地的过程中，经过沉淀、吸附、氧化还原、微生物分解等作用，水质得到进一步改善，同时也为水生植物提供了养分

照片6　活水公园湿地种植了几十种水生植物，其中漂浮植物主要有浮萍、紫萍、凤眼莲等；挺水植物主要有芦苇、水烛、茭白、伞草等；浮叶植物主要有莲、睡莲；沉水植物有金鱼藻、黑藻等。这些植物与鱼类、蛙类、昆虫等动物构成了一个丰富而良性的湿地生态系统。当人们走近湿地时，就会听到一片蛙鸣，与马路上的喧闹形成鲜明的对比

照片7　水生植物种类繁多，丰富多彩，生长茂盛，景观美丽

照片8　修建了人行道，既方便游人观览，又能防止人为破坏

照片9　处理后的水变得清澈了一些，从湿地流出，流入景观休闲区，夏天，这里是市民休闲的好地方。小湖泊形态设计、周围的绿化配置有很好的艺术性，景色非常美丽，设计水准很高

照片10　多么美丽的景致，城市的河边有这样一个绝佳的公园真是难得。仔细看就会发现：湖泊周边树木、灌木种类多样，位置搭配合理，高低错落有致，景观层次很丰富

照片11　公园里还设置了一个浅水戏水池，孩子们格外喜欢这里，设计者很重视“亲水性”，体现了以人为本的理念

照片12　小河时而暴露在“光天化日”之下，时而掩盖在“密林”之中，悄悄地将一连串的湖泊连接起来，形成了一个完整的“小水系”，水流最终回归到府河

小　结

笔者认为，在闹市的河道与马路之间一个狭窄的带状区域内，依地形建设这样一个富有特色的活水公园，规划思路独具匠心。从水环境治理的角度来看，相对于府南河丰沛的流量，活水公园处理的水量有限，对改善河道水质作用甚微。意义主要在于：它是一个非常成功的作品，在城市中建设了一个有科技意义、教育意义、休闲观光价值且深受居民喜爱的公园，实现了科技、生态、景观、人文的融合，其思路是独特的、理念是先进的、手法是高明的。在我国城市建设及河流治理中独树一帜，具有重要的参考意义和示范价值。其获得国际水岸中心“优秀水岸奖最高奖”是理所当然、名副其实的。

第三章

日本“多自然型河川”建设的理念

20世纪80年代，德国提出了“近自然型河流”的概念，即河流规划与建设应以接近天然河流为标准。受这一观念影响，日本于20世纪90年代初开始倡导“多自然型河川”建设，迄今为止，已经改造了几百条河流，是实践最多、最为成功的国家，积累了宝贵的经验，这些经验很有参考价值。

笔者20世纪90年代初曾在日本太平洋土木工程咨询公司水工部工作数年，对此背景有所了解。水工部设有一个环境科，就是专门从事“多自然型河川”设计的，当时并未得到其他专业人员的理解，认为是一项“抓不住、摸不着”的工作。然而，5年后，“多自然型河川”的设计成了第一大专业，合同额高居榜首。

“多自然型河川”是一种日语表达方式，照搬到中文也很容易理解，也就不再做翻译上的变化。“多自然型河川”建设就是通过人类的干预，力图保持、重现及创造河流原有的、多姿多彩的自然状况，体现出生态的丰富性、形式的多样性、感官上的柔和性，实现人与自然的和谐共存，而不是采取整齐划一的方法改造河流。

在20世纪60～70年代，日本战后经济迅速崛起，大小河流都治理得很完备，治理方式是单一的，就是用混凝土砌成平展、规则的河道，目的主要是让水顺利流过，并未考虑生态景观、人与自然的和谐等问题。到了80年代末90年代初，日本经济已经成熟，国际上环境保护观念也出现了巨大的变化，人们才逐渐认识到千篇一律的“混凝土河川”已不受欢迎，各方面都存在缺陷，于是就开始了“多自然型河川”建设，把原来已治理好的河道按新的理念重新进行治理，这就是时代的大背景。

日本的“多自然型河川”建设并不“惟生态而生态”，而是结合防洪、供水等传统水利的基本功能进行的，考虑的因素更全面。设计时根据具体的治理对象确定方案，并没有固定的模式，也没有设计规模、标准、导则的约束和限制，是一项可发挥余地很大的工作。与传统水利设计相比，“多自然型河川”的设计具有自然化、人性化、文化化等特点。建设者特别注重当地居民的参与，来自居民的意见都能反映在设计中。

此外，“多自然型河川”与通常所见的园林景观设计有着根本的不同，这种差别体现在理念上、手法上、功能上、表现上等诸多方面。“多自然型河川”注重各种因素贴近自然，注重事物的内在本质，尽力弱化人工干预的痕迹，突出个性，体现的是一种无序。虽然考虑视觉上的美感，但并不过分追求；而园林景观设计则主要考虑视觉上的美感，形式上是整齐有序，带有强烈的人工修整痕迹，与自然现象截然不同，设计上有很多固定的模式，雷同之处较多。鉴于以上原因，“多自然型河川”都由水利方面的咨询或建设机构规划设计，并非由园林景观公司设计，这就是二者的区别。

下面举3个较为成功的例子，说明日本“多自然型河川”建设的思路与风格。

1　精进川的改造

精进川是日本北海道札幌市的一条小河，流域面积15.5 km^2，河流全长14.2 km、河宽4～6.7 m。1971年进行了矩形断面的混凝土砌块护岸施工，20世纪90年代初，随着恢复河流本来面貌呼声的日益高涨，对精进川的3.5 km河段进行了重新规划，1992年开始，作为“精进川——家乡河流的建设事业”工程，开始了再改造施工。

照片1　（1992年10月）施工前的精进川。河道整齐、规则，水流通畅，有护栏，看上去是一条治理得不错的小河，但混凝土护岸把水、陆两个生态系统隔开了。毫无疑问，它属于一条“人工河”而不是“自然河”

照片2　（1995年7月）施工两年后的精进川。宁静和谐的河道，草木繁茂，混凝土护岸不复存在，河道形状变得无规则，水流在石子河床上流淌。与施工前相比，小河变成了自然河，很有一种“野味”，几乎看不出人类施工的痕迹。这种河道生态环境层次更丰富，更有个性，人类或动物更喜欢这种自然风貌的小河。（注意：绿化上人工干预的痕迹也不明显，绝对不采用造型树、铺草坪一类的园林美化手法，沿河小路也保持土路，不进行铺设。）这就是日本“多自然型河川”追求的风格

照片3　精进川穿越一个公园，陡峭的护岸及两侧的栏杆将人与水俨然分开，人们只能看，不能进，缺乏“亲水性”，解决这一问题也是“多自然型河川”的重要任务

照片4　施工后，拆掉了混凝土护岸，建造了有浅滩、深潭、河心洲及宽阔河岸的蛇形弯曲河道，使河道形态更丰富多彩。河流与公园融为一体，增强了亲水性

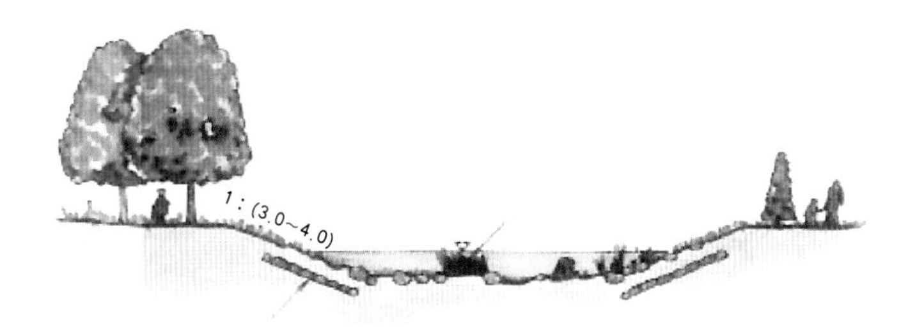

照片5　河道断面示意图。追求的是自然形态的河床，而不是那种水泥铺底的平面。河道有深有浅、有急有缓、有宽有窄、有直流有旋转、有沙丘有卵石、有水草有树荫，形成生境的多样性，任何一种鱼类都能找到它所喜欢的处所，这样才对生态有利

照片6　这是精进川一处亲水广场。开阔平缓的草地，曲折蜿蜒的河道，星星点缀的洲滩和湖湾，颇有“草原河流”的风格，使游人尽情享受水边的快乐（亲水广场里没有设置那些常见的椅子、石头台阶、亭子、栏杆之类的东西，尽量弱化人工痕迹是设计者的本意）

照片 7　该河段利用大量的卵石护坡、护底，主要是防止水流冲刷，此外，还营造了跌水，使得水流形态具有多样性，为水生生物创造一个更丰富的生境

照片 8　这是精进川的一处瀑布，河道很自然，河边的小路是土路，河旁没有摆设桌、椅、凳，没有铺人工草坪，没有修建凉亭，没有台阶，没有小卖铺，只有清澈的水流和浓密的大树。设计者追求的是一种农村田园式的、朴素的、自然的景色

2　引地川的重建

引地川是日本神奈川县大和市的一条小河，流域面积67 km²，河流全长21 km，河宽约11 m。1977年进行了全断面混凝土衬砌，为了重现昔日的田园小河风光，1993年开始了再改造施工。改造目的：将河道和河床开挖成蜿蜒曲折型，改变河岸的坡度，造出浅滩和深潭，建造由土和植物构成的自然河岸，使河流拥有良好的生物栖息环境及市民亲水空间。

重建之前的引地川是标准的梯形断面，混凝土块铺护，仅仅是用来排水的，毫无生态可言，更谈不上生物多样性，因此当地居民决定把它改造成多自然型河川。

照片1　这是改造后的引地川一景。拆除掉护岸的混凝土后，建成了这样的河道，岸边插上了水柳、菖蒲等植物，时值4月，河岸上樱花盛开，小草开始发绿，到夏天来临时，就会变得郁郁葱葱

照片2　时值夏季，植物茂盛，小河成了地地道道的乡间小河，设计者追求的就是这种效果

照片3　夏天下大雨时，河道水位上涨，沿岸洼地形成湖湾湿地，创造了生境的多样性，成为鱼类的乐园

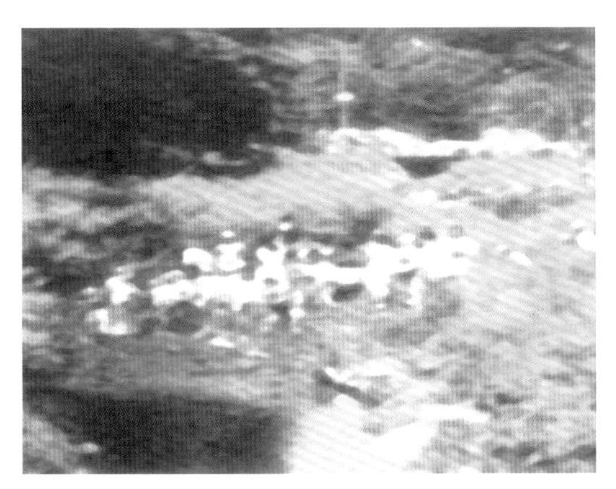

照片 4　夏季，河边草木茂盛，小河成为当地儿童嬉水的好地方，人们很喜爱这田园式的小河和水边公园。在“多自然型河川”建设中，建设者格外重视亲水性，为人类融入自然尽可能创造条件

照片 5　水边植物在水面上形成的阴影为多种生物提供了栖息空间，入秋，儿童进入小河捕捉龙虾。设计者把人类与生态环境的关系看得十分重要，能达到这种效果就意味着建设者的成功

照片6　小河内不乏激流浅滩，维持了流态的多样性。这景象看起来的确很像一条“无人过问”的天然河流，这种情况对生物多样性、对水质保护都很有好处

3　多摩川河道整修

多摩川是流经东京市区的大型河流，是日本建设省划定的一级河川，河道宽度为300～500 m，为了使河滩地的生态环境更加丰富，对局部河滩进行了改造。改造者采用的方法是：巧妙地利用洪水，用地下水作河滩洼地的水源，使河滩洼地更自然的施工方法，并移植原有植物。

照片1　整修前的河道。由于泥沙长期淤积，在河道内形成了大面积的滩地，水域面积很小，水生生物生存空间有限，景观也不好看，于是，建设者决定改造滩地，创造出更多的河沟洼地水域，为生物多样性创造条件

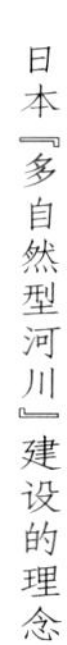

照片 2　这是刚整修后的情景。将河滩陆地改造成了这样的状态，河沟洼地纵横，为生境的多样性创造了条件

照片 3　沟塘内水面平静如镜，水体清澈，水边植物茂盛，植物种类繁多，景观非常美丽

照片 4　河沟边茂密的植物，景象“野味十足”

照片 5　地形高高低低，沟塘洼地纵横交错，灌木、野草丛生，看上去一片荒凉，但这里成为水生生物和陆生生物的乐园

4　小　结

从以上几个例子就能够看出日本“多自然型河川”建设的一些特点，设计者能够因地制宜进行设计，追求的目标为自然性、多样性、

生态性、亲水性。看起来似乎不难做到，其实做好并不容易，主要还是理念和认识问题。在规划和设计中，他们重视当地居民的参与，能结合当地的历史文化传统，以新的视角审视人与自然的关系，并引入一种新的环保理念。近10年来，日本对几百条河流进行了环境治理，进行了大量的实践活动，从而形成了有日本特色的“多自然型河川”。

目前，世界上许多国家都对破坏河流自然环境状态的河道整治工程进行了反思，并逐步对已改造的河流进行回归自然的再改造。修建生态河堤，增加河边湿地及河滩面积，恢复河岸水边植物群落，维护生物的多样性已成为国际上河流建设的发展趋势。

第四章 从古代城市园林水系中学到什么

第一节 圆明园的河湖水系

1 圆明园基本情况

圆明园位于北京市西北郊，占地面积3.5 km^2，由圆明园、长春园、万春园(后改称绮春园)三园组成，简称“圆明园”，又称“圆明三园”。圆明园是清朝五代皇帝倾心营造的皇家园林，始建于清代康熙末年(1709年)，建设期持续了150年，1860年被八国联军抢劫烧毁，后来又经过军阀、土匪、奸商的长期破坏，至新中国成立前只剩下残石废墟和秃山荒草，景象一片凄凉。新中国成立后，废墟被政府保护，园内得以绿化，目前作为遗址公园对公众开放。

圆明园曾以其宏大的规模、杰出的营造技艺、精美的建筑景群、丰富的文化收藏和博大精深的民族文化内涵而享誉于世，曾被中外人士誉为“中华第一园”、“万园之园”、“世界园林的典范”等。圆明园在山水布局、河湖形态、生态景观、人与自然的融合等方面，十分完美，原来的建筑、古树虽早已破坏殆尽，但山形水系大部分完整，供我们学习的地方很多。

圆明园的内涵实在丰富，站在不同的角度会看到其不同的价值：政府把它作为一个爱国主义教育基地；旅游部门把它当成一个风光迷人、知名度很高的旅游景点；历史学家则充分利用它研究清代史，研究近代帝国主义如何侵略中国；建筑学家则研究它原来的建筑风格是什么样子；园林景观设计者则研究它的园林造景手法；普通市民来这里往往直奔废墟，凭吊历史，对帝国主义义愤填膺。

可以说，不管从什么角度，描写圆明园的文章都很多。然而，迄今为止，笔者很少看到水利学者或生态环境学者对它发表什么文章，也未看到水利学者对它进行过研究。圆明园有一套复杂、完整、美妙的山形水系，笔者认为，这才是它的精华所在。在今天的城市河湖建设方面，我们也许能从圆明园学到很多东西。圆明园水系显然是一个十分有价值的研究课题，笔者就是从这个角度出发，对圆明园进行了调查研究。

2　圆明园的河湖水系

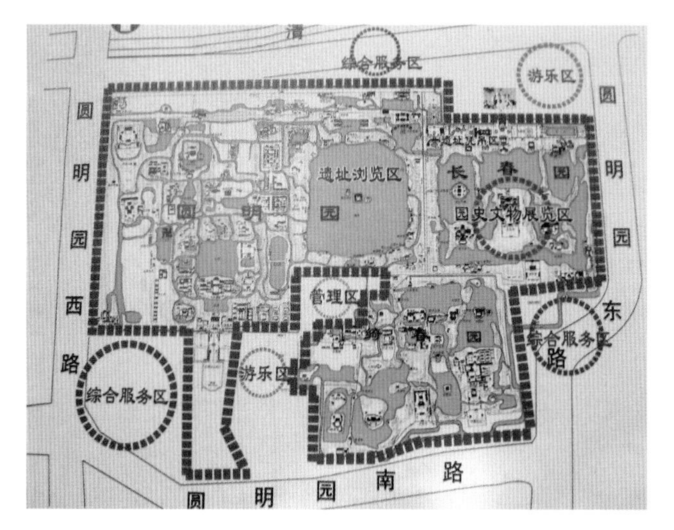

照片1　圆明园复杂的河湖水系

圆明园西距西山2 km，是一片平坦、微倾的山前平原，地势开阔而低洼，过去这里泉水出露较多，洼淀湿地遍布，水资源非常丰富，在这里修建一处山水园林，其选址是适宜的。圆明园的河湖水系不是对已有水系进行改造治理而成，而是在一片平地上由人工开挖而成。挖出的土堆积成山丘，进行绿化造景、修建建筑，就是这样人工营造了一个“万园之园”。圆明园没有现成的山水可依托或利用，完全是人工塑造出来的一件艺术品，正因为如此，人类的创造力和想像力在这里得到充分的发挥。圆明园主要由河湖水系、山系、植物、建筑4大景观要素构成，而今，建筑早已破坏，古木早已伐尽，但山形水系基本完整。

圆明园水系有大小湖泊30多个，长长短短的连通河道60多条，既有较大的湖泊，也有中等的湖泊，又有较小的湖湾港汊。整个河湖系统形态千变万化，河道、浅湾、湖泊、小溪，纵横交错，相互连通，四通八达，形成一个极为复杂的河湖水系。沿水系筑有250座山丘，山山相连，连绵起伏，河湖与山峦相互环绕，迂回曲折，形成水随山转、山复水转、层层叠叠的园林空间，是一个复杂的山水系统。圆明园河湖水系的特点可以概括为如下几句话：纵横交错的水系，变化无穷的形态，四通八达的河道，迂回曲折的岸线，层次丰富的景观，耐人回味的意境。

全园3.5 km^2，其中，水域面积占40%，陆地面积占60%，水陆面积之比为4∶6，这一个比例被人们称为“黄金分割”，是一个包含美学价值和哲理的数据。“黄金分割”除了是一个美学数据，从生态环境、人与自然协调的关系来看，也是一个十分科学的比例。40%的水面使得水域生态环境效益得以明显发挥。春季干旱，风大，天气干燥，陆地扬尘较多，而圆明园水面能有效调节小气候，使湿度有所增大，还能从大气中吸附尘埃，净化空气。夏季炎热季节，这里的气温比外界低一些，使人感到凉爽宜人，山峦树林则与水域相互配合，使得这种环境效益更加突出。如果水面面积在整个园林中所占比例太小(比如占10%、20%)，则以上环境效益不明显；如果水域面积所占比例太大(比如60%、80%等)，陆地面积则变得太过狭窄，山峦、建筑、院落、道路、场地、林木等方面的用地紧张，会难以展开，人类活动空间受到很大限制，人与自然的关系就会不那么协调。所以，不管从何种角度看，水域面积占40%都是一个非常合理的比例。

3　福海景区水系

照片2 （2003年10月）宽阔的福海，给人一种“大海般开阔”的感觉，其位置选择、形态设计、尺度的把握及周围山林配置都很合理，从水体流通、水质保护、生态环境等方面来看也很合理

福海位于圆明园中心位置，长约700 m，宽约500 m，面积近40万m^2，储水量约占全园的1/3，是圆明园水系的心脏。不管从何种角度看，它的设计都很合理。从形态来看，它是“方中带圆”，“圆方结合”，给人一种端庄、富态、饱满、安详的感觉，的确具有“福”字的内涵。显然，形态设计蕴含了丰富的文化，体现了人们对“福”的理解和追求。假如福海的形态是一个奇形怪状的样子，它就有愧于“福”字，而且与它的中心地位也不相符。

从景观来看，福海提供了一个开阔的水面景观。站在岸边，你会感到烟波浩淼，有“海洋般广阔”之感，海中心的琼岛给人一种“大海孤岛”的感觉；站在东岸观看，远处的西山倒影在水中，形成“湖光山色”之美景；站在西岸中秋赏月，会看到“平湖秋月”美景；当风较大时，湖面能涌起较大的浪，浪头有力地冲击岸边岩石，形成“惊涛拍岸”的声音和美景；严冬季节，湖面冻结，大雪过后，银装素裹，一片冰雪景象。

从尺度来看，福海设计得比较合理。从人的视觉效果来讲，水面并非越大越好，如果福海尺度更大一些(比如1 000 m × 1 500 m)，在开阔性上，它不会让人感觉有多大差别，但却需占据过多的土地；如果福海尺度更小一些(比如300 m × 400 m)，则会让人感受到开阔性不足。福海的尺度设计得恰到好处，在一个临界尺度上，既能让人感受到开阔，又没有占用过大的土地面积。如果尺度再小一些，则湖面风速偏小，水面波浪的传播受到抑制，难以掀起有冲击力的浪涛，形不成“惊涛拍岸”的景观，湖中小岛也难以给人一种“大海孤岛”的感觉。从游览的角度看，大湖可以航行较大的游船，船上可以举行各种群体活动，比如龙舟赛、歌舞酒会、吟诗赋词，使人类与自然更加和谐。从水质保护的角度来看，设置“福海”这么一个中心湖泊也是有价值的，湖面越开阔，水中掺氧能力越强，对水质保护越有利，通过流动可以为周围水域更换较清洁的水。从生态的角度看，开阔的水域更有利于水生生物的多样性。可见，福海是一个“再大也不合适、再小也不合适”而“恰到好处的”公园湖泊，可见，当年它的设计者考虑了许多因素，对大自然的特性有着深刻的理解。

福海的面积不足0.4 km^2，而能给人以“海洋般广阔”的感觉，很多湖泊比它大得多，却不能给人这种感觉，这是为什么？对此，笔者进行过观察与研究，其原因如下：其一，福海为方圆型，同等面积下给人以开阔感；其二，沿湖边周围没有高大的山岭或建筑，环湖人造山丘高度最多10 m，福海宽600 m，比例为1/60，在这些小山头的映衬之下，凸显了水面的广阔；其三，水面距地面很接近，高差只有0.5 m，水面与人非常接近，人的视角更平缓，更有开阔之感；其四，湖心小岛尺度很小，岛面高出水面很少，给人一种“孤苦伶仃”、“随时就可能淹没”的感觉，更衬托了福海的广阔。可见，福海的设计确实独具匠心，需要对自然有深刻的理解和领会才能做到。

照片3　(2003年9月)绿色河道。福海北岸，一条小河悄悄离开岸边，绕到山后，通往另外两处小湖泊。河道宽5～8 m，水深1.5 m，通水又通航，两船迎面相遇可顺利通过。河道两岸是连绵起伏的“山峦”，山上及河岸绿树成荫，在秋风吹拂下翩翩起舞

山脚下、河道旁有观光步道，在这里走走，感觉意境很好。夏天，树阴遮挡烈日，河道水温比外界低3～4℃，可减缓富营养化的发生，也是人及水生生物避暑的地方。福海沿岸四周有9个口门，通过这样的河道与其他湖泊相连。福海外围被山峦环绕，山峦又被这样的河道环绕，乘船在这样的河道中游览，融入自然的感觉很浓，连鱼类也喜欢这样的环境。

照片4　自然和谐。这是福海西北角一段废弃的河道，原来是连接福海与西北向湖泊的河道，由于填埋，只剩下这一段。经过自然演变，长满了各种水生植物，与两侧山丘上郁郁葱葱的树木相呼应，营造出一个生物多样的、和谐的自然景观

照片5 (2003年11月)曲径通幽

一条小河离开福海东岸进入山区，蜿蜒穿行在山脉中，不知奔向何处，相信，只要跟着它保证会到达一处美丽的天地。

照片6 (2003年11月)"别有洞天"

果然，拐过几道弯，小河带你来到了一个美丽的天地，一处山林环绕的小湖静静地展现在眼前。这里是一处著名的景点，叫"别有洞天"，是圆明园40处古典景点之一，清代文人墨客曾给它留下了大量的诗句。建筑无存、山河依在。

照片7 俯瞰“别有洞天”

站在山头上看到的“别有洞天”，小湖狭长，岸线曲折，形态美丽，水面平静，周围绿树如茵，的确美不胜收。

照片8 弯曲的河道

离开“别有洞天”河道继续前进，蜿蜒曲折，状若蛇行、自由欢快、酣畅淋漓，展现了另一种风格和面貌，反映了设计者的浪漫与想像力。两岸的山头，既是绿化造景的场所，又将河道与外界隔离，形成一个独立的景观系统。圆明园中众多的游览河道，曲折多变，百转千回，韵味无穷。

4 万春园景区河湖水系

照片 9 （2003 年 11 月）形态优美、四通八达的河湖

这是万春园的一处湖面，形态设计得很优美，有三四条河道与外界连通，水域回环延伸，水流通畅，尽显蜿转多姿的水乡美景。圆明园有面积 5 万～10 万 m^2 的中等湖泊 7 处，其他小型湖泊面积一般都在几千至几万平方米之间。这些湖泊的形态、岸线都设计得非常自然、优美，无一处直线型岸线。从视觉来看，每一处湖泊都是独立而封闭的，但每一个湖都通过3～6条河道与其他湖泊相连，水流具有很好的流通性，对于保护水质有利，也有利于鱼类的游动、迁徙。

照片 10 （2003 年 11 月）宁静的湖湾，万春园一景

湖湾镶嵌在山丘密林中，水绕山转、山随水行，山、水、林紧紧相依，每一处湖湾都被山丘环绕，构成一个独立的景观世界，而水流

却是自由流通的。不管是步行还是划船，游览其中，一步一景，妙不可言。你看，转过这个山头你就会看到另一幅崭新的画面。山丘是利用河湖开挖的土堆成的，高的有十几米，矮的四五米，历经岁月后，虽然土壤流失严重，但经过修复后恢复了原貌。这些山峦不是简单的堆积，而是很艺术性地再现了自然山脉的风貌。河湖与岸上连绵起伏的山丘相互配合、相互映衬，非常协调，构成了一幅烟水迷离的世界。不管你在陆地行走观光，还是乘小船穿游，都是“三步一景，五步一画”，一转弯就会看到一片新天地。

照片11　(2003年11月）森林河道。在山丘密林间穿行，河岸弯曲，河、山、林构成一个紧凑而又和谐的自然系统

圆明园的河岸都用块石构成，河道固形较好，不易遭受人为破坏和雨水冲蚀；河宽5～8 m，易于弯曲布置和穿行，小游船可双向通过；河宽与山丘、树木的高度很协调，夏季树木葱茏、遮天蔽日，小河免受太阳暴晒，夏季凉爽宜人；河边长满了野草，冬季到来，野草枯死，增添了三分荒凉，也增加了三分自然美感。

圆明园的河道一般长的约有500 m，短的只有几十米，水面距地面一般只有0.5 m。河道蜿蜒曲折，两岸紧靠山丘，河面被树林遮盖，穿行其间，使人能够零距离接近山、水、林，给人一种难得的融入自然的感觉。由于景观的丰富性，使人百游不厌。笔者曾与同学、好友多次来圆明园划船，迷人的景色、良好的感觉赢得人们众口称赞。

照片 12　幽静的河汊（2003 年 11 月）这是万春园西北部的一个河汊。山脚下一条弯弯曲曲的小河在静静地流淌，不久便“兵分两路”，“各奔前程”，它们各自去了哪里？还是个秘密

照片 13　平湖如镜（2003 年 11 月）

沿山路行走，突然发现一处明镜般的小湖，在群山密林的环抱中，祥和而宁静，宛若世外桃源。在这样的环境中漫步、小酣、划船，使人身心都得到净化，文人墨客来到这里，更是如鱼得水，实际上，任何人来到这里都不愿意离去。环湖走一周，发现它也有 3 个口门与外界连通，水流是自由的，并非死水一潭。显然，设计者是基于追求“世外桃源”的理想，设计了这么一处景点。

仔细看看，发现这些宁静的小湖边，没有人工草坪，没有人工修整的造型树，没有用水泥铺路，没有设置联椅，没有铺台阶，没有种植鲜花，没有摆放花盆，没有人工栏杆和绳子，没有售货亭，没有饭馆，没有画廊，没有铜鼎，没有桌椅板凳，等等，只有落叶，有行人游

览踩踏的小路，树木也是大大小小、高高矮矮、东歪西斜，显得杂乱无章。然而，它的画面却是无比的优雅和美丽，这就是自然，是都市中难得的一种境界。

照片 14　优美的河道(2003 年 11 月 20 日)

站在山头观赏小湖，一回头发现山下又出现一条小河。你看，河岸弯曲、流畅、优美、自然、秀气，令人赏心悦目。设计这样的河道看似简单，其实不然，设计者对自然美需要有深刻的理解才能设计出这样的图案来。实际上，这条小河与前面描述的那个小湖(世外桃源)只一山相隔，直线距离不过 30 m，设计者巧妙地利用山丘阻隔了你的视线，在这个世界只能看到这个世界的画面，而在那个世界又只能看到那个世界的景象，当你绕山丘漫步时，就会不断地有新画面展现在眼前，造成“山随水转，一步一景”的奇妙感觉。

照片 15　隔河观湖(2003 年 11 月)

绕过一个山头，跨过一条小河，抬头突然发现对面又有一个小湖，在群山之间若隐若现，又是一处“世外桃源”，给人一种意外和惊喜。

照片 16　湖光山影的和谐(2003 年 11 月)

万春园的一个小湖泊。静静的湖面，弯曲的岸线，起伏的山丘，茂密的树林，完美地结合，形成了柔和、美丽的小环境。山丘不高，却错落有致、造型优雅、形态逼真。湖岸紧靠山脚，水面靠近地面(约 0.3 m)，树木紧靠湖边，各种景观要素实现了最近距离的结合，使得自然景观浑然一体，实现了湖光山影的和谐。不是高山峡谷，不是急流险滩，而是土湖、土山和普通树林，多么朴素，但设计者却用最省力的办法营造了一处精巧、别致、宜人的小天地，显然是对大自然的真谛有深刻的领会。

照片 17　柳暗花明又一湖(2003 年 11 月)

万春园北部的一个小湖泊。沿着河道行走，转过一座山头，柳暗花明又一湖，依然是在山林的包围中。圆明园的湖泊虽数量众多，但大小、形状、特征各不相同，构成了丰富多彩的湖泊群。

照片 18　万春园水系的“心脏”

福海是整个圆明园水系的“心脏”，而照片中的这个湖泊则是万春园水系的“心脏”。该湖位于万春园北部，面积约 10 万 m^2，水面也相当开阔，在本片水系中起到了蓄水中心、流通中心、游乐中心的作用，也为鱼类提供了一个大的生存空间。圆明园的湖泊从大、中、小梯级配置到位置选择都较为合理。

照片 19　阳光下的湖泊

万春园东北部的一个湖泊，水面开阔，在灿烂的阳光下，水体清澈，石头砌成的湖岸，弯曲的岸线显得很优美。

5　长春园湖泊

照片20　接天莲叶无穷碧(2003年9月)

长春园的西南部的一处湖泊，虽然湖水干涸，湖底出露，剩下残败的荷叶和水草，但开阔的湖床和远处的山林构成的景象依然让人心旷神怡。与万春园相比，长春园的湖泊有自己的风格特点，湖面面积较大，形态更优美，湖与湖利用短河道连接。由于北京水资源紧张，长春园的湖泊一直维持少水或干涸状态。

照片21　曲叶风荷(2003年9月)

长春园南侧的湖泊，水中的荷、岸边的石、山丘上的草木，形成了开阔、层次丰富的景观。湖泊岸线形态曲折迂回、流畅自然，极其优美，给人一种艺术的享受，连岸边石头的选料及摆放方式都很雅致。

照片22　初冬寒塘(2003年11月)

长春园东南侧的一处湖泊，冬季来临，冷风劲吹，荷叶完全枯死，湖底只剩少量水，远处山林已完全落叶。曲折优美的湖形、起伏柔和的山丘显现出凄美动人的景象。圆明园的湖泊形态都很美，岸线没有死板的直线，都很曲折流畅，这种形状本身就是艺术品。

照片23　沧桑湖泊(2003年11月)

长春园东部的一处湖泊，经历了140年的自然沧桑演变，未经任何整修，湖泊干涸，湖底裸露，野草、芦苇自生自灭，山丘因常年水土流失而变得低平，湖床淤积严重，保持了圆明园受破坏及自然演变后荒凉的景象，但湖泊轮廓依然显露曲线的美丽。

照片24 干涸的湖床(2003年11月)

长春园北部的一处干涸湖泊，未经整修，呈演变后的自然状态，块石护岸虽受破坏，但轮廓曲线依然清晰。

6 圆明园的环境文化

圆明园作为一座园林是人类文明的结晶，反过来，它的山水又成了文化创作的一个源泉，可以说，圆明园的环境文化也是非常丰富的。

圆明三园共有100多个景点，一个所谓“景点”就是一片相对独立的小天地。清代皇帝或翰林院的大学士们给每个景点都起了一个雅致的名字，如九州清晏、上下天光、坦坦荡荡、茹古涵今、鸿慈永佑、万方安和、武陵春色、山高水长、北远山村、西峰秀色、平湖秋月、蓬岛瑶台、别有洞天、坐石临流、曲院风荷、洞天深处，等等。这些名字都有浓厚的文化色彩，也蕴含了不同的意境。

由于圆明园独特的景观条件，这里曾是清代大诗人、大艺术家创作的地方和取材对象。据史料统计，关于圆明园的各景点留下了5 000

首诗，有的一个景点就有100多首赞美诗。著名的“圆明园40景图咏”就是宫廷画家所画，以景点实物为基础，经过提炼、升华、想像，画出了40幅山水建筑的景观图画，画面体现了一种浪漫、超然的意境。

现代社会，圆明园依然是文化艺术的创作基地，大批绘画者长期以这里为家进行创作。在节日，这里举办各种文化活动。圆明园自从诞生以来，不管在哪个年代，它的山山水水一直与人类文化活动有着紧密的关系，这也许就是人与自然和谐的最高形式。

图片1　景名：涵虚朗鉴。圆明园40景图咏之一，清代乾隆年间宫廷画家所画

图片2　景名：万方安和。圆明园40景图咏之一

图片3　景名：多稼如云。圆明园40景图咏之一

7　小结与思考

圆明园的山形水系非常庞大，布局复杂而精巧，景观迷人，蕴含着深厚的中国传统文化与山水意境，它将人文、自然的精髓巧妙地结合到一起，把人与自然的融合做到了很高的境界。设计者不但精通造园艺术，更是对人文及自然规律有着深刻的理解。圆明园虽历百年沧桑，在今天看来，仍然堪称典范，有许多地方值得我们加以研究和继承。

历史上的多数园林都依靠了一些自然山水条件而建，园内山河形态在受惠于自然条件的同时，也受到很大的约束，人为创作空间受挤压而变得狭窄。圆明园是在一片平地上挖河筑山建成，就像在一张白纸上绘画，画师可任凭想像力进行创作，自由发挥的空间很大，可以说，圆明园的山山水水是艺术家的作品。

有历史学者认为，圆明园是设计者们考察了祖国的山山水水及名家园林后，吸取精华仿建的。笔者只部分认同这个观点，考察山山水水及名家园林是必要的，因为设计者不可能完全凭空想像出这么多精巧、科学的布局，必须有一定的客观事物作基础。但圆明园并没有像仿造产品一样单纯“仿建”，而是吸取了事物的“精神本质”，抽取了内在的东西，进行了概念化和抽象化，形成了某种理想，反过来又把这种理想付诸于圆明园的规划设计中。这个过程按现代的语言说就是“实践—理论—实践”的过程，要完美地实现这个过程，仅靠单纯的工程技术是远远不够的，必须有很高的艺术造诣，有很高的文化素养。

与现代人相比，前人在工作条件方面差别很大，比如，不具备现代人的生态环境意识，不具备现代的勘测、制图、遥感技术，没有电脑，没有数值模拟，没有设计规范和导则，没有现成的教科书，更没有上岗培训班等。但前人却设计出了令现代人望洋兴叹的园林山水，前人正是凭着对人文、自然的理解，凭着深厚的文化底蕴，才创造出了圆明园这个流芳百世的作品。一些园林景观设计专家也认为，圆明园是由艺术家、文学家设计的，而不是由工程师设计的。这正是我们现代人必须认真思考的问题。

笔者认为，现代人在城市河湖设计的思路和方法上正在形成一套现代风格，比如更注重建筑造型、更讲究生态环境、更注重亲水性等。但现代工程师与前人相比不足之处也很明显，主要是在文化底蕴、对人文自然的理解等方面欠缺太多，景观设计作品趋于雷同化、程式化、抄袭化，需要提高文化素养，才能真正设计出优秀的作品。

圆明园也存在着不足的地方。由于圆明园是皇家园林，因此设计上以人为中心，从赏景、游览、享受的角度讲究人与自然的和谐，寻求的是超脱的意境，从现代的观点来看，生态多样性表现不足；众多河湖全部是块石护岸，形式单一，从生态角度看，也是一种欠缺；讲究水面以上的景观，但湖泊水下地形平坦单调，也是生态上的一种欠缺；显然，当年的设计者对水生生态问题还缺乏认识。

第二节　颐和园水系

颐和园位于北京西郊，是清代皇家园林，如今是举世闻名的旅游景点。全园总面积近1 km^2，水面多于陆地。园中的湖泊名为“昆明湖”，昆明湖水系是在天然湖泊的基础上，经过历代的治理才形成今天的格局。远古时代，昆明湖的位置曾经是一条古河道，后来淤积演变成一个天然湖泊。元代名为“瓮山泊”，明代改称“西湖”，清末改称“昆明湖”。昆明湖背依万寿山，西靠群山，南临平原，水源充沛，水质优良，景色迷人，是一片天然风水宝地。元明时期这里既是著名的风景地，也是调济京城用水的蓄水库。

公元1749年，清乾隆皇帝对西湖进行了大规模的疏浚与治理，把湖面向东北扩展，并模仿杭州西湖苏堤在湖中筑了一条贯通南北的西堤，使水面一分为三，把挖湖的泥土堆筑在山上，利于绿化造景。经十余年建设，终于形成了一座大型皇家园林，取名为“清漪园”。公元1860年(咸丰十年)，清漪园与圆明园一起被英法联军焚毁。公元1886年(清光绪十二年)重新修建，并改园名为“颐和园”。

清朝对昆明湖的整修是根据当地自然地理条件，按照园林创意，仿照了杭州西湖的风格进行的，因此今天看到的昆明湖，其形态、布局都与杭州西湖极其相似。同时治理时也考虑了其作为京城“水资源储存库”的作用，故昆明湖水系的治理不仅仅是一项园林工程，同时也是一项水利工程。

颐和园水系的风格与圆明园有如下不同：其一，颐和园水系是“片状”结构，主要体现了“开阔、浩瀚、大气”的特点；圆明园水系则是“网状”结构，主要体现了“复杂、多变、婉转、迷离”的特点。其二，颐和园水系不但具有园林景观功能，同时具有水利功能；圆明园水系主要具有园林景观功能。其三，颐和园水系的建设考虑并利用了当地的自然条件，考虑了京城的水源供给要求，建成了与周围大环境相协调、功能上统筹兼顾的一个湖泊；而圆明园水系是在平地上人工开挖的，更体现了人类的想像力和创造性，反映了人类所追求的一种理想，文化色彩更浓重。作为邻居，同为清代的皇家园林，颐和园与圆明园在风格上有很强的互补作用。

照片1　昆明湖、万寿山及辉煌的建筑群相互映衬，形成了雄伟壮观的景象。作为昔日的皇家园林，颐和园与圆明园风格迥异，主要体现在河湖水系的差异上，二者形成了互补

照片2　昆明湖是大尺度景观，宽阔的湖面与远处的高山相互映衬，尺度上相匹配，显得比较和谐。然而，这种大尺度景观也有其弱点，就是一览无余，比较单调，缺乏圆明园式的变换感，没有那种“山穷水复疑无路，柳暗花明又一村”的迷离感

照片3　昆明湖的东岸为直壁式块石护岸，从现代观点来看缺乏亲水性和生态性，然而却坚固、耐久；从历史的角度看，能够凝固历史

照片4　这是人工开挖的一条游览河道，从昆明湖出发，绕过万寿山背后通往苏州街。河宽约40 m，石头护岸，两岸绿化很好，与圆明园宽5～8 m的游览河道相比，显得宽阔大气。然而，乘船游览其中，感觉过分开敞，融入自然的感觉不如圆明园的小河道。这样的河道，在颐和园只有2条，因此颐和园水系远不如圆明园复杂

照片5　西堤一景　西堤将西侧的部分湖面隔离出一条游览水道，宽约40 m，比较顺直，绿化很好，景色不错，但乘船游览其中，显得过于宽阔

照片6　这是纵贯昆明湖南北的西堤，是模仿杭州西湖的苏堤而建的。在西堤上散步的确是一种享受，春天，春风杨柳，景色迷人，是观赏春光的好地方；夏日，来自湖面的凉风吹去酷热，是避暑的好地方。在湖中筑一条步行堤的确是巧妙的构思

照片7 谐趣园

谐趣园坐落于万寿山东侧山脚下，清乾隆年间仿无锡惠山的寄畅园而建，1860年被英法联军烧毁，后重修。谐趣园是一片独立的小天地，偏僻、幽静，有池塘数亩，沿池建有亭、台、楼、阁、桥等，三步一回，五步一折，步步有景，是中国最负盛名的“园中之园”。但有一个致命的弱点，就是水环境保护存在问题，池中水难以和外界沟通，死水一潭，水发黑、变质，每次来这里游览发现水都很脏，不知当年乾隆皇帝是如何保持这里的水质的，肯定付出一定的成本。

小 结

昆明湖水系是在天然湖泊的基础上治理而成的，清代在治理设计时，充分考虑了当地的自然环境条件、考虑了园林特点、仿照了杭州西湖的风格，同时也考虑了京城“水资源储存库”的功能。因此，今天看到的昆明湖水系是一个与周围大环境相协调、功能上统筹兼顾的湖泊水系。

颐和园水系主要体现了“开阔、浩瀚、大气”的特点，与圆明园相比，景观比较单调，在意境设计方面，人类的想像力和创造性发挥受到了局限。

第三节　京城“六海”

在北京老城正中心，有六个首尾相连的湖构成一个湖泊群，简称“六海”，由北向南依次为：西海、后海、前海、北海、中海、南海。西海、后海、前海，这三海通称什刹海，为开放式水域，北海在北海公园里面，中海、南海通称中南海，目前是党中央、国务院驻地。“六海”水面总面积约1.4 km^2，加上连接河段，从头至尾总长度约8 km。每一个海的面积在0.2～0.3 km^2之间，长一般为1 km左右，宽度一般在200～400 m范围。水源来自北护城河。

元代以来，“六海”就是京城的中心，什刹海周围寺庙、王府特别多，故宫、天安门广场也在它的近处。新中国成立后，党和国家的许多高级领导人也住在这里，可见，这里是有身份、有地位的人喜欢居住的地方。历史上，“六海”是天然湖泊或洼地，800年来，城市建设与河湖治理同时进行，演变至今，才形成了今天的格局。“六海”具有防洪、蓄水、漕运、景观等功能，现在其漕运功能已不复存在，但是生态功能却越来越重要。

笔者曾多次沿“四海”(除了中南海)进行考察，认为不管从地理位置来看，还是从湖泊规模、布局来看，“六海”都具有独特的魅力，这种魅力来自于它的天性，所以，能够在800年间吸引一代又一代的人们在其周围建起一座庞大的京城，“六海”对北京的贡献是巨大的。但可惜的是，历代人们只是争先恐后地在它附近建房子、占地盘，把它当成一个天然依托，却忘记了对它的保护和投入，似乎也未曾有人对它进行过精心设计和改造。也许，它的周围城市化后，特别是住满了达官贵人后，对它进行任何的改造都是困难的。不管怎样，从生态景观的角度看，它们不应该是今天这个样子，而应该更精彩、更美丽、更丰富，这样才能与它们那天生的高贵相协调。

照片1 位于“六海”最北端的西海

西海湖面开阔，一览无余，石头护岸，环湖有一条人行小路，周围建满了老平房，都是老北京居民。

照片2 后海一景

后海湖面开阔，环湖有小路，湖边活动空间狭窄。湖岸由石块、水泥砌成，立岸，岸边植一排垂柳，湖周围建满了老北京居民平房，分布着许多过去的王爷府、寺庙等文物古迹。近几年，湖岸边形成了“酒吧一条街”，热闹非凡，店老板和饮酒者都想托后海的福，让自己的日子过得幸福一些，但是却很少有人为后海着想。

照片3　前海景色。湖面开阔，湖中心有一个岛屿，过去长满了植物，是野鸭的栖息地，是一个自然生态岛屿

不知何时，该岛被修成了一个圆圆的台子，水泥立墙，栏杆围护，岛上变成了一个高档、热闹的酒吧，吵闹声不时传出，京城最重要的湖泊遭受了最粗暴的干涉，这是什刹海的悲剧。

照片4　北海一景

北海公园是一个著名的公园，北海水面开阔，面积是“六海”中最大的，与圆明园福海相当，然而，看上去却不如福海赏心悦目，也显得不如福海开阔。主要原因有3个：其一，福海周围都是人造土山丘和树木，环湖多为人行土路，建筑或人为设施很少；而北海周围都是楼房建筑，人为设施密集，完全水泥铺地，自然性远不如福海。其二，

福海水面距地面只有0.5 m，亲水性好，站在岸边，浪花可以打湿你的鞋子；而北海水面距离地面有2 m以上，岸壁陡立，亲水性很差，想接近水面困难很大。其三，福海中的岛是一个弱势小岛，衬托出了湖面的广阔，衬托出了“水天茫茫”的壮阔景观；而北海琼岛怎么看也不像个岛，而像一片高高在上的大陆，山头高出水面20 m，“岛”上建筑密集重叠，又像一个“城镇”，再加上树木、白塔，塔尖高出水面30 m，在这么高大的“岛”的映衬之下，北海就变成了一个“小湖”。所以，从生态景观的角度来看，北海琼岛并不能称为是一个成功的例子，它只是创造了一片陆地，而没有营造出意境。

小　结

“六海”是一片经人工治理的天然湖泊，俗话说“先有什刹海，后有北京城”，“六海”在北京历史上的地位是崇高的。但有史以来人们对它有过多的依赖和索取，为它想得却不多，对湖滨地带缺乏保护和统一规划。历史上对它的治理也是粗犷的和简单的，缺乏想像力，景观单调，其生态景观效果与它高贵的身份有点不相适应，没有体现出人类应有的创造性。

尽管有不少遗憾，但“六海”是极其重要的，特别是在现代社会，都市规模越来越大，越来越热闹，大尺度水面对城市产生的生态效益越来越突出：景观美丽、休闲锻炼、净化空气、调节气候等，我们需要保护好它，将来条件许可时，对它周边环境进行综合治理。

第四节　杭州西湖

西湖南北长3.3 km，东西宽2.8 km，水面面积近6 km^2，平均水深约1.5 m，环湖周长15 km，水源来自钱塘江及附近山区的径流。西湖的西、南、北是山，东部是平原，杭州老城区就建在湖的东岸。目前，杭州市已形成了“环湖而建”的格局。西湖是一个天然的浅水湖，或者说是一片天然洼地，经过历代治理形成了今天的状态，应当说“先有西湖，后有杭州”才是正确的。

自古以来西湖就是著名的风景名胜点，特别是南宋时期，因当时杭州是都城，西湖的治理及文化都有了一个大发展，形成了著名的所谓“西湖十景”：苏堤春晓、曲苑风荷、平湖秋月、断桥残雪、柳浪闻莺、花港观鱼、雷峰夕照、双峰插云、南屏晚钟、三潭印月。围绕这十景，古人又创作出了数不胜数的咏景诗词，将想像、夸张、赞美融于其中，这些景被刻画得如同仙境一般。这些诗词、文章对人们影响很大，不少人面对西湖的时候，不能再用自己的眼睛来客观看待西湖，而是自觉不自觉地用早已灌输在脑海中的一些想像来看待它，所以西湖成了一个半客观实在、半文化状态的湖泊。

笔者抛开文化方面的影响，用自己的眼睛去观察西湖，提出一些自己的观点和看法。西湖是一个开阔的水域，站在岸边感觉到的是开阔、浩瀚，与站在北京颐和园昆明湖边上没有什么区别。作为一个大水域，其防洪、蓄水、净化空气、调节小气候的作用是非常明显的。历史上，人类对西湖进行了大量的治理，苏堤、湖中岛(如三潭印月等)都是人工作品。如果说苏堤是一个成功作品，那么，著名的“三潭印月”则不能称为是一个成功作品，可以说只是勉强为人们提供了一个在湖内落脚的地方。

在西湖的西南侧，有一片景区叫“花港观鱼”，由十几个小湖构成，是一个独立的景观体系。该景区是有魅力、有意境的世外桃源，建设是最成功的。景区入口在苏堤上，入口处有一块大石碑，上面书写着

“花港观鱼”几个大字，字体饱满、工整、有力，这是清乾隆皇帝的手书，是当年来此游览后留下的题字。可见，乾隆很喜欢“花港观鱼”这个地方，说明了它的魅力。

照片1　站在雷锋塔上看到的西湖全景(从南向北眺望)，湖面十分开阔，苏堤、岛屿尽收眼底。然而，当你站在湖边的时候，看到的只是一片水面，缺乏变幻感

照片2　花港观鱼景区的小湖之一。湖长约100 m，宽约50 m，形状不规则，湖边的树木长得郁郁葱葱。平静的水面加上环湖树木、水草构成了一幅非常美丽的图画。在花港观鱼景区内，这样的小湖有十几个，景色都非常优美。越是这样的小湖，越能创造出宜人的景观；越是这样的小湖，越能使人找到融入自然的感觉；越是这样的小水面，越能使人感到意境的超脱

照片3　炎炎烈日下，小湖岸边的大树在水面留下一片荫凉，站在树下观看小湖，景色别有一番意境

照片4　这是一个狭长的湖泊兼水道，宽约20 m，两岸的树枝贴近水面，将水面宽度的60%遮盖，只有40%的水面暴露于阳光之下。夏天，水体温度会因此而得到抑制，对于减轻富营养化有好处。而且，鱼类很喜欢这样的生境，利于避暑和觅食

照片5　环湖的树木、远处的山头及天上的白云倒映在水中，形成了宁静而美丽的画面。这个小湖只有几千平方米，大面积的湖泊则难以形成这样的效果。湖岸的植物都是人工所植，有高大的乔木，有中等高度的乔木，有低矮的灌木和水边植物，种类繁多、形态各异、层次丰富，形成了多样性的生态系统

照片6　花港观鱼景区地势比较平坦，历史上这里是浅水湖洼地，是西湖的西南边缘，与大湖是一体的，后来被苏堤隔开

人类因地制宜对花港观鱼景区进行了治理，进行了精心的规划设计，把整块洼地分割成十几片大小不一、形态各异的水域，对这些水域进行疏挖，挖出的泥土用于旁边填洼。治理完成后，面貌完全改变，十几片水域被开挖后变成了名副其实的湖泊，而其他地方的洼地则被填平，成了正常的陆地，景象由原来的大片洼地变成了十几个纵横交错的河湖加上纵横交错的平地构成的复杂系统。所以，这里的景象就是湖泊加平地，面积各占50%左右。

照片 7　迷人的景色。与圆明园相比，花港观鱼景区原创条件有很大差异，圆明园的河湖水系是在平地上开挖的，因此可以利用挖出的泥土营造山丘，形成景观层次丰富的山形水系；而花港观鱼是在洼地上治理而成，被开挖的洼地形成湖泊，挖出的泥土则把其他地方的洼地填成平地。在这些陆地上再修路和绿化，每一个湖泊加上周围的树木构成一个封闭的景观体系

照片 8　湖中小岛

在小湖中筑一个只有几平方米大的小岛，岛上种植几株灌木加上自然生长的草，这么轻描淡写地一点缀，景观层次就显得更加丰富。这里的绿化技术及管理是非常成功的，创造了一个丰富的人工生态系统，这里成了一个植物宝库。树种的选择、位置搭配等完全是人工所为，显然进行过精密计划，但是，对植物生长并未进行过多的干预，树木形态保持了完全的自然性。

照片9　一棵大树的树枝平着伸向小湖的中心，为小湖撑起一把绿伞，多好的意境，此景人人称赞。树的尺度与湖面尺度相协调是此景成功的关键，该湖面积只有几百平米，因而，大树枝可以平伸到湖中心，如果湖泊是一个很大的湖泊，则意境就失去了

照片10　美丽的湖光山影。不远处就是山峰，湖泊、树木、山峰构成了一幅生态和谐的画面

照片11　目前我们所看到的景象，可以说河湖水系是古人的作品，而绿化则是现代人的作品。今天，二者在这里形成了完美的结合，构成了一个完美的世界。这里的湖都是小湖，最小的面积只有200 m^2，最大的不足5 000 m^2，形态都很优美，相互串联起来，形成一个复杂的河湖体系，这样的河湖体系有利于创造丰富、多样、美丽的景观，有利于创造超然的意境，为人与自然的融合提供了良好的空间和条件。水系的水源有来自山里的溪流，与大湖连通，保证了水的来源与水质

照片12　护岸的形式是多样的，有的用石头护岸，有的地方用木桩护岸。这样是为了固定岸线，防止水流侵蚀岸滩，防止水土流失

小　结

西湖的花港观鱼景区是人类利用河湖进行生态景观创造的一个成功范例。古人筑建了苏堤，在隔开的一角洼地上建设成了一个由十几个小湖构成的湖泊群，最小的湖面积只有 200 m^2，大的不超过 5 000 m^2，形态各异，相互串联，形成一个复杂的河湖体系，也形成一个独立的景观体系。近代和现代人类对该区进行了成功的绿化，科学的河湖体系与科学的绿化体系相映生辉，形成了生态多样、层次丰富、景观美丽的小世界，创造了超然的意境，为人与自然的融合提供了良好的空间和条件。

古人在规划设计中能够因地制宜，治理方式是科学合理的，建设是成功的。能够看出，设计者具备深厚的文化底蕴，对自然界的理解比较深透。显然，早在清代这里就成为一处美丽的景区，乾隆的题字就是明证。北京的颐和园、圆明园很多地方都模仿了杭州西湖的景点，但更多的是从这里吸取设计思想。显然，花港观鱼景区是圆明园从中吸取营养最多的地方，从这里学会了如何因地制宜进行河湖水系设计，如何设计河湖的形态及尺度，如何对水系进行布局，这里教会了后人很多的自然法则。显然，现代社会，在进行生态景观河湖设计时，该景区蕴含的思想依然有很大的参考价值和指导意义。

第五章 城市河湖水环境的变化规律及保护

第一节 城市河湖的污染源及水环境保护

对于城市景观河湖来说，要成为生态良好、景观美丽、市民喜爱的水域，最重要、也最基本的一点就是要保持水体的清洁，清澈的水流和碧波荡漾的水面才能发挥出其生态效益和景观效益，会使居民受益。相反，如果是“一池脏水”，不仅不能发挥环境效益，还会成为环境的污染源，会成为市民躲避和讨厌的对象。由于河湖处于人口密集的城市内，因此极易受到人类活动的污染，污染来源构成复杂，污染控制是一件难度很大的事情。

2001 年，北京市对北环水系(流经市区的一条主要河流)进行治理时，笔者编制了本项目的环境影响报告书，对河湖的水环境状况及污染源进行了长时间的调查研究，提出了污染治理措施。这个例子对城市河湖具有代表性，本章将对此进行详细介绍。

北环水系位于北京市区偏北侧，横贯东西，自西至东跨越海淀、西城、东城、朝阳四区，从上游至下游依次由长河(长约5 km)、转河暗沟(长约1.5 km)、北护城河(长约5.5 km)、亮马河(长约5.5 km)等组成，全长约18 km，河道宽度20～40 m，水源来自于京密引水渠。与北环水系相连的湖泊有16处，从西到东有紫竹院湖、动物园湖、展览馆后湖、市中心的“六海”、筒子河，还有北郊的人定湖、青年湖，东郊的水碓湖、红领巾湖等。北环水系是京城北部发展园林景观、美化环境的重要天然条件。该水系的基本功能是：城市泄洪；为湖泊和工业、农业输水；美化城市环境；供旅游、休闲、观赏；此外，还有改善区域小气候、补充涵养地下水等，规划上还赋予其旅游通航的功能。北环水系沿线两侧已经完全城市化，道路、桥梁、公园、居民小区、写字楼、商场、饭店、大使馆等十分密集，已经没有农地及闲置地。北京北环水系地理位置及构成如图 1 所示。

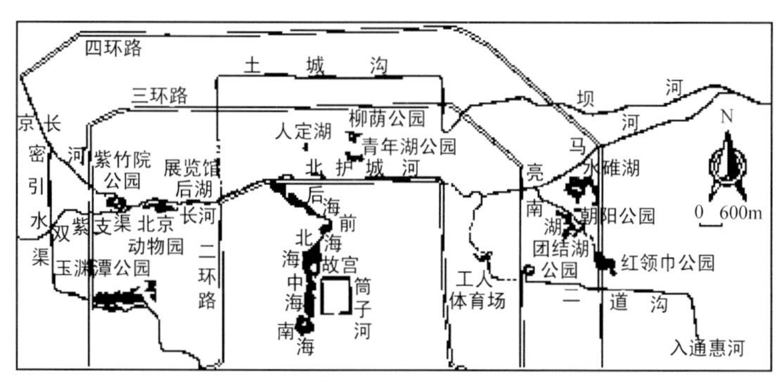

图 1　北京北环水系地理位置及构成

北环水系水环境功能区划为Ⅳ类水，根据监测，北护城河水质夏季 COD_{Mn} 超标严重，为Ⅴ类水，秋季挥发酚浓度较高，为Ⅳ类水；亮马河不管是夏季还是秋季，COD_{Mn} 超标严重，均为Ⅴ类水。北护城河和亮马河水质差的主要原因有两个：一是有污染物进入；二是河道上游来流量较少。

通过调查发现，水系的主要污染源是生活污水及人为弃污，也有一些自然污染。污染源基本构成如下：

(1)生活污水。在水系附近，有几片平房居民区，家庭生活污水排入地下管道，直接流入河道。多数入河排污口比较隐蔽，不是设在明渠，而是设在暗沟内，河道上游无来流的时候，污水储留在暗沟内，当河道上游有来流时，污水和垃圾则流出暗沟，瞬间对河道造成严重污染。也有一些城区建筑没有实施截污处理，而是就近排入河道，造成河流污染，比如使馆区的生活污水就直接排入亮马河。

(2)人为弃污。目前，城市建设如火如荼，河流沿线的建设工地比比皆是，施工人员为了方便，经常偷偷地将渣土、生活垃圾、废水倒入河道；水边一些餐馆、水上餐厅等经营场所将残渣剩饭、垃圾、污水弃入湖中；路边行人、小吃经营者将饭盒、垃圾等投入河道；清洁工人为了偷懒，将抽粪车中的粪便偷偷倾入河道；还有行人将河沿当厕所等。人为弃污种类很多，防不胜防。

(3)雨水管污染。据当地居民反映，河道两侧的十几个雨水管经常有污水流入，来历不明，这属于人为弃污。经调查发现，街道两旁的小饭馆、小卖铺等为了方便，将污水倒入路边的雨水沟，污水量大时就会流入河道。此外，特别是春季，经过了一个冬天的积累，马路边的雨水沟内积累了大量的尘土、垃圾、脏物，没有径流时，这些垃圾在雨水沟内睡大觉，当下雨时，街面形成径流流入雨水沟，将沟内的垃圾一起冲入河道，造成严重污染。所以，每年春夏季节，第一场大雨是最脏的。

不管怎样，雨水管是一个通道，在水流的冲刷下，将市街地上的污染物送入河湖。雨后，街面变得干净，而河、湖却变得污浊。

(4)自然污染。春天的大风将土地上的尘土、垃圾扬起抛入河道，夏天的雨水将泥沙、垃圾冲入河道，造成污染。秋季，河边大量树叶飘落在水面，如果不及时清捞，漂浮数日后就会沉入水底，逐渐腐烂发酵，形成有机底泥，营养物质释放于水中。这些都属于自然污染。

(5)防卫性污染。调查时发现，由于水脏，附近蚊蝇较多，水边平房有的住户施用很多农药灭蚊蝇，这种举动无疑进一步加剧了水环境污染。

城市水环境污染恶化了居民生活环境，严重影响了附近居民生活质量，居民怨气很大。投资者总希望在清洁的水面附近搞开发建设，住房购买者也希望周围水环境清洁，污染的水体显然对城市建设不利。

城市河湖水系的水环境有如下两个特性：一是易受密集人类活动的影响，控制难度较大；二是环境的好坏对居民、对城市总体环境质量影响较大，社会发展的趋势要求必须进行治理。城市治污是一项系统工程，要达到治理目的、确保水质，必须采取综合性治理措施。在研究了污染源基本特征后，笔者对北环水系整治部门提出了以下措施：

(1)资金、行政、法律保障措施。

资金支持是污染治理的必要条件，一点资金都不舍得投入，一切治理措施就无法实施。

需要行政部门的大力支持。城市水系污染治理涉及面很广，不但涉及到沿线居民，涉及到外地进京人员管理，涉及到众多部门，还涉及到少数民族，涉及到城市建设规划。因此，单靠水利部门或环保部门的力量是不够的，需要市政府的统一协调及强力支持。

需要法律支持。法律法规是人们共同遵守的准则，城市应制定保护水环境的地方性法律，让管理部门有法可依、依法行政，这样一些管理措施实施起来容易一些。

(2)工程保障措施，实施彻底截污、污／雨分流。

一般情况下，生活污水是城市水系最重要的污染源，污水截流是治污的根本。另外，由于城市雨水(特别是初期雨水)较脏，而且雨水管经常被用做排污管，所以必须实施污／雨分流。

对老平房区进行搬迁改造。新建楼房居民区都有完备的下水道系统，但是，老平房区多数没有下水道系统，而且污／雨不分，是造成河流污染的主要原因。不管从污染治理的角度还是从城市建设的角度，都需要对老平房区进行搬迁改造。

(3)市政管理措施。

加强城市的卫生管理，使街面保持干净，减少因风吹、雨水等因素将脏物带入河流。对自由市场、餐馆、外来人口聚居区进行严格的卫生管理，对建设工地卫生实行严格监督，对产生污染的路边小生意、洗车点进行环境改造或取缔。

环卫部门提高管理水平。鉴于环卫部门雇用人员向河道倾倒垃圾、大粪的情况客观存在，环卫部门应提高管理水平，严格要求从业人员遵守规定，明确责任，建立相应的处罚措施。

合理布置垃圾处理站点和公共厕所。健全垃圾收集站点网络(尤其是公共场所)，让垃圾有处可弃，减少因无垃圾站(箱)而导致的随意丢弃。沿河设置一些公共厕所，让在外活动的人们感到方便，减少因为没有厕所而将河沿当厕所的现象。

拆除作为污染源的违章建筑。对形成污染的沿河餐馆、水上游乐厅等应取缔、拆除。

(4)加强环境管理、监督措施。

加强水系环境监督，成立水系环境执法监督队伍，依法行使职责，惩罚排污、弃污者。

加强河道的保洁工作。将岸边枯枝落叶、尘土、垃圾等及时清扫，将坡面进行及时护理，将漂浮在水面上的脏物、树叶等及时清出。

(5)水资源调控措施。

科学调配水资源。水资源不足是影响水质的重要因素，应科学调配水资源，做到既节约水源又保护水环境。此外，北京市计划建设一批污水处理厂，加强处理水应用的研究，可以考虑将处理后的洁净水引入河道。

加强水系协调管理。北环水系担负着向16处公园湖泊供水的任务，河流与湖泊由不同的部门分别管理，如何协调也是一个需要解决的问题。

闸门群联合控制科学化。北环水系闸门较多，管理又不统一，应制定闸门群的联合调度规则，设置信息化、自动化控制系统，运用科学的模式、先进的手段统一水流调度问题。

(6)公众参与措施。

应充分发挥公众保护环境的积极性。实际上，对河湖环境最关心的还是住在附近的市民，河道管理部门应建立与沿线居民(包括居委会等组织)的沟通渠道，公布举报电话，提出奖励措施，让居民有机会参与对污染源的监督，及时发现问题。也可以实行“门前三包”等措施，对水环境实行有效的监督和保护。

加强环保教育。沿河竖立一些警示牌，呼吁人们注意保护水环境。另外，利用电视、报纸、网络等新闻媒体的优势，加强环境保护的宣传。

(7)其他措施。

其他措施如在水边种植挺水植物、采用水下草场、向水中充气、放养鱼类等，对水质净化都有一定好处；另外，挖深河湖、增加水深，也会降低夏季水温，对水质保护有利。

第二节 城市湖泊的水环境变化规律

——以京城“六海”为例

笔者在日常生活中非常注重观察河湖水质在一年四季的变化，发现如下规律：每年的3～4月份，也就是水面结冰融化后的一段时间，北京的河湖水体都非常清洁，清澈见底，透明度很高；进入5月份以后，气温急剧上升，河湖水体则逐渐变得浑浊；夏天(7～8月份)，最热的季节，湖水最脏，富营养化现象经常暴发；到了11月中旬，经常来寒流，天气变得寒冷，湖面开始结冰，此时的河湖水又变得清澈透亮。湖水为什么会随季节发生以上变化？笔者想起上小学时的经历，夏天下大雨时，农村的池塘会积很多水，由于流入的雨水含有细颗粒泥沙，很难沉淀，池塘的水在整个夏天会显得浑黄，但是入秋以后，天气转凉，池塘水很快就会变清。

以上现象只能用水体的挟带能力来解释。水温高时，水分子运动剧烈，水体中挟带的细颗粒物质不易沉降；而水温变低时，水体挟带能力降低，颗粒物易沉降。而这种现象又必然会影响到水体的各种水质指标。为了验证以上现象，结合实际需要，笔者申请到一个研究课题，以北京市中“六海”为研究对象，对水质等指标进行了一年的跟踪监测，对结果进行了研究分析。以下对此次研究成果进行介绍。

1 项目背景

近年来，由于水资源不足、污染严重等因素，京城相当一部分水域环境状况较差，夏季，市区的“六海”等湖泊富营养化严重，这些现象严重影响了北京的生态环境及首都形象。治理水环境已成为恢复京城历史命脉、改善城市生态环境、实现首都可持续发展的基础和关键。北京将举办2008年奥运会，更加突出了水环境治理的必要性和迫切性。北京市政府对此十分重视，制定了规划，正在投入资金对市中心区河湖水系及外围水系陆续进行综合治理。治理措施包括河道整治、污水截留、水环境生态修复等，以便使京城水系水质得到根本改善，实现“水清、岸绿、流畅、通航”的目标。

要进行水环境治理，掌握水质及其富营养化变化规律是重要的前提。一般来说，湖泊水质与排污量、水温、流量等诸多因素密切相关。以北京市中心区的“六海”为例，由于水资源的严重缺乏，只能得到补偿蒸发及下渗的水，在水流“只入不出”的长期运行模式下，补给水中含有的部分污染物在湖泊中具有富集作用，易造成水质恶化。

目前，国内外围绕富营养化现象已进行了广泛的研究，并取得了丰富的成果。在我国，水库湖泊的富营养化现象仍是一个突出的问题，相应的研究也已遍及国内主要河湖水库，特别是富营养化严重水域(如太湖、滇池等)。但是，对于城市小型湖泊的富营养化现象研究较少，对于“水质随季节如何变化”这样一些基本性的问题缺乏认识，因此本研究课题对于认识城市河湖水环境的一些问题很有意义。

目前，我国城市生态河湖建设处于起步阶段，具有良好的发展前景，在设计中需要了解河湖水环境与水深、气温的关系，这样可以进行科学设计，建设一个利于水环境保护的水系。因此，该项目的成果对于城市河湖的设计有重要的价值。

选取京城“六海”为研究对象的原因如下：一是因为“六海”是京城的核心水系，位置、作用很重要，富营养化严重，一直受到政府及社会的关注，是北京市污染治理的重点目标，对它的研究与认识更有意义；二是因为“六海”是个“死水域”，只维持少量补给水，水流只进不出，湖泊水体成静态，水质随气象变化明显，受来流等其他因素影响相对较小，易于发现规律；三是水域面积较大，比较有代表意义。

由于“六海”相互连通，考虑到水系的形状及其水流顺序，在水系的入口处、中间和接近末端处分别设置了3个监测点：松林闸入口(西海)、前海南端、北海南端，并分别编号为1号、2号、3号。

根据北京市近年来的河湖水系的水质资料，其主要污染物包括高锰酸盐指数、氨氮、总氮、总磷、pH值等。为了研究主要污染物的时空变化规律、观察其富营养化现象，对水质监测项目进行了优化选取。确定监测项目包括：气温、水温、透明度、电导(μS/cm)、溶解氧(DO)、pH 值、氨氮(NH_3-N)、总氮(TN)、总磷(TP)、高锰酸盐指数(COD_{Mn})、色度。

监测时间跨度为一年。考虑到 12 月、1 月、2 月这 3 个月份水面结冰，取水样困难，监测时间选在 4、6、7、9、10、11 月份，每月各监测一次，共计 6 次。

现场采样时，同步观察、测量并记录如下项目：水质感官状况；富营养化发生的情况；自然水温；透明度；记录监测时间前一周内的气象变化状况，含气温、风、阳光等因素。收集北京多年月均气温及自然水温资料，收集近几年的水质资料。监测时，通过水域附近的居民及公园管理处人员，调查近年来湖泊的治理情况，调查近几年富营养化发生情况等。

可以说，通过以上工作，能够比较全面地掌握和了解湖泊水环境的变化情况。

2　水温及水质监测值

3 个监测点实测的年内自然水温变化曲线如图 2 所示，在测量期间，最高水温发生在 7 月，为 27～28℃；最低水温发生在 11 月中旬，约 3℃。

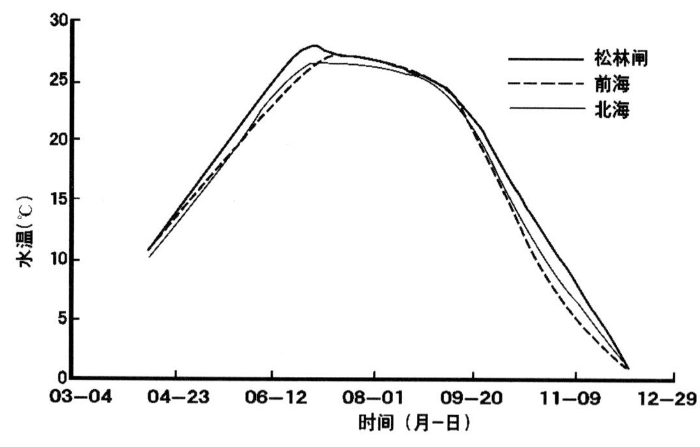

图 2　实测自然水温年内变化过程

实测水质见表1，评价标准见表2。

表1　水质监测及评价结果(GB3838—2002)　　　　(单位：mg/L)

序号	监测时间（年－月－日）	因子指标	松林闸（功能类别Ⅳ类）			前海（功能类别Ⅲ类）			北海（功能类别Ⅲ类）		
			监测值	水质类别	超标倍数	监测值	水质类别	超标倍数	监测值	水质类别	超标倍数
1	2003-04-09	水温(℃)	12.5			12.0			11.5		
		COD_{Mn}	7.11	Ⅳ		6.94	Ⅳ	0.2	6.32	Ⅳ	0.1
		NH_3-N	3.94	劣Ⅴ	1.6	3.38	劣Ⅴ	2.4	0.50	Ⅱ	
		TN	6.9	劣Ⅴ	3.6	5.4	劣Ⅴ	4.4	1.92	Ⅴ	0.9
		TP	0.61	劣Ⅴ	1.0	0.16	Ⅲ		0.13	Ⅲ	
2	2003-06-17	水温(℃)	26.0			28.0			26.5		
		COD_{Mn}	7.24	Ⅳ		7.93	Ⅳ	0.3	6.26	Ⅳ	
		NH_3-N	0.50	Ⅱ		1.22	Ⅳ	0.2	0.74	Ⅲ	
		TN	1.48	Ⅳ		1.68	Ⅳ	0.7	1.05	Ⅳ	0.1
		TP	0.18	Ⅲ		0.03	Ⅱ		0.03	Ⅱ	
3	2003-07-10	水温(℃)	28.0			28.0			27.5		
		COD_{Mn}	7.99	Ⅳ		8.41	Ⅳ	0.4	7.18	Ⅳ	0.2
		NH_3-N	0.86	Ⅲ		1.41	Ⅳ	0.4	0.16	Ⅱ	
		TN	2.00	Ⅴ	0.3	1.86	Ⅴ	0.9	1.42	Ⅳ	0.4
		TP	0.25	Ⅳ		0.34	Ⅴ	0.7	0.17	Ⅲ	
4	2003-09-01	水温(℃)	25.0			25.0			24.5		
		COD_{Mn}	7.16	Ⅳ		7.76	Ⅳ	0.3	6.82	Ⅳ	0.1
		NH_3-N	1.27	Ⅳ		0.65	Ⅲ		0.56	Ⅲ	
		TN	5.39	劣Ⅴ	2.6	1.16	Ⅳ	0.2	0.96	Ⅲ	
		TP	0.11	Ⅲ		0.22	Ⅳ	0.1	0.12	Ⅲ	
5	2003-10-14	水温(℃)	14.0			11.0			12.0		
		COD_{Mn}	6.97	Ⅳ		7.17	Ⅳ	0.2	6.81	Ⅳ	0.1
		NH_3-N	1.11	Ⅳ		0.75	Ⅲ		0.39	Ⅱ	
		TN	3.25	劣Ⅴ	1.2	2.63	劣Ⅴ	1.6	2.60	劣Ⅴ	1.6
		TP	0.06	Ⅱ		0.05	Ⅱ		0.11	Ⅲ	
6	2003-11-25	水温(℃)	3.0			3.0			3.0		
		COD_{Mn}	6.48	Ⅳ		6.76	Ⅳ	0.1	5.86	Ⅲ	
		NH_3-N	1.08	Ⅳ		0.57	Ⅲ		<0.025	Ⅰ	
		TN	2.42	劣Ⅴ	0.6	1.90	Ⅴ	0.9	<0.05	Ⅰ	
		TP	0.14	Ⅲ		0.16	Ⅲ		0.03	Ⅱ	

表2　地表水环境质量标准限值(GB3838—2002)　　(单位：mg/L)

分类项目	分类				
	Ⅰ类	Ⅱ类	Ⅲ类	Ⅳ类	Ⅴ类
COD_{Mn} ≤	2	4	6	10	15
NH_3-N ≤	0.15	0.5	1.0	1.5	2.0
TN(湖、库,以N计)≤	0.2	0.5	1.0	1.5	2.0
TP(以P计)≤	0.02(湖、库0.01)	0.1(湖、库0.025)	0.2(湖、库0.05)	0.3(湖、库0.1)	0.4(湖、库0.2)

3　高锰酸盐指数(COD_{Mn})变化规律分析

图3为3个监测点的COD_{Mn}浓度的季节变化曲线，根据曲线分析如下。

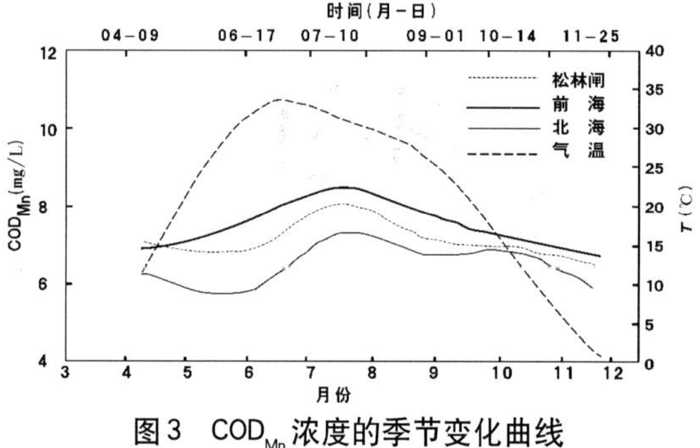

图3　COD_{Mn}浓度的季节变化曲线

COD_{Mn}浓度值范围为5.86～8.41 mg/L，介于地表水Ⅲ～Ⅳ类水之间。因为1号点受补水影响较大，不作为分析的依据。从2号点和3号点来看，COD_{Mn}浓度随季节变化趋势非常明显，主要特点表现为：浓度值从4月开始增大，至7月增至最高点，随后开始下降，至11月下旬，降至最低，一年内变化幅度达到了50%。COD_{Mn}浓度变化与水温变化有很好的对应关系，水温增高，COD_{Mn}浓度也变大，水温降低，COD_{Mn}浓度也变小。造成这种现象的原因可以解释为：水体挟带污染物质的能力与水温有密切关系，水温越高挟带能力越强，水温越低挟带能力越弱；当水温增高时，来自于外界和底部的有机物质悬浮于水中，难以沉降，水温最高时，污染物浓度达到最大；当水温降低时，水体挟带能力变弱，水中的有机物又越来越多地沉降于底部。

在所有的监测数据中，前海(2号)的 COD_{Mn} 浓度值均大于北海(3号)。COD_{Mn} 浓度受水体自净作用和外来污染源汇入、底泥污染物析出等的综合影响。前海 COD_{Mn} 浓度偏高主要有以下两个原因：一是周边存在一些污染源(比如水上餐馆)；二是前海水深较浅(比北海浅 1.0 m)，春夏季节水温上升较快，风浪作用下，水体对底部的剪切力较大，更易把底部的污染物搅起。北海是公园，环境管理较好，没有生活污水流入，而且水面面积较大，水深较深，水温上升得较为缓慢，风浪不易把底部的有机物质搅起，所以水质较好。

南部三海(北海、中海、南海)的补给水是从前海流入的，流淌过程非常缓慢，当水流从前海补进北海后，水质有了明显的好转，可见，湖泊水体的自净效果还是很明显的。这个事实也说明，一个湖泊，只要截断了污染源，靠着其自身的净化能力，可以维持良好的水质。

4 氨氮变化规律

氨氮变化情况如图 4 所示，根据这个曲线图分析如下：

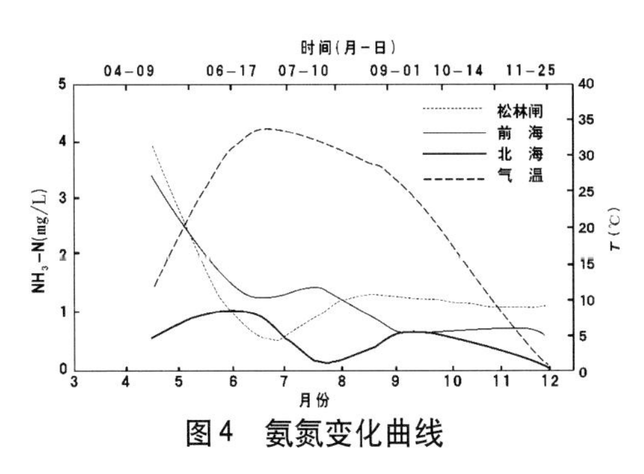

图4 氨氮变化曲线

在监测时段内，各监测点的氨氮浓度值范围为0.03～3.94 mg/L，为地表水Ⅱ～超Ⅴ类水(GB3838—2002)。水体中的氨氮主要来自于生活污水中含氮有机物的分解。春夏季节，氨氮浓度值衰减较快，水温最高时达到一个低谷。由此看出，氨氮浓度与水温有相反关系，水温升高，氨氮会加快分解和逸出，浓度变低。入夏以后，氨氮浓度虽然有微小的波动，但基本在同一水平上，属于正常测量误差范围。

将2号点和3号点的浓度值进行比较可以看出，前海浓度一直高于北海，原因与COD_{Mn}相同，前海周围有生活污染源，北海周围没有污染源。补水从前海进入北海后，氨氮浓度有了一定程度的降低，可见湖泊对氨氮也有明显净化作用。

5　总氮变化规律

图5为监测点的总氮季节变化曲线。各监测点的总氮浓度值范围为0.05～6.9 mg/L。由于北护上游施工，河道水源状况在一年内变化较大，时干时丰，松林闸引水时引时停，1号点有两次是在西海监测，因此在分析时不考虑该点。

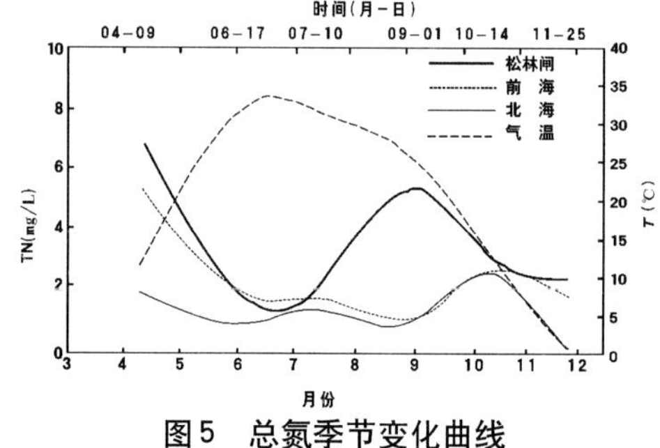

图5　总氮季节变化曲线

从2号、3号曲线来看，总氮浓度随季节变化趋势比氨氮更加明显，天气炎热的季节总氮浓度变低，主要是因为水温高时其分解、挥发速度会加快，这个规律在2号点表现得最为突出。春季一方面由于补水带来了新的污染，另一方面由于底泥释放，总氮浓度较高；夏季由于耗散量增大，成为全年中浓度最低的时期；秋季又有所回升，到了冬季又变低。可见水温对总氮有两个作用：第一是影响分解挥发的速率；第二是由于挟带能力的变化而影响浓度。水温很高时第一个因素起主导作用，水温很低时第二个因素起主导作用。

比较2号点和3号点可以看出：2号点总氮浓度始终比3号点高一些，原因在前面已经讲述，2号点周围有污染源，而且水深较浅，各种影响较为显著；3号点水深较深，周围环境状况较好，总氮浓度较低。湖泊对总氮有净化作用。

6 总磷变化规律

图6为总磷的季节变化曲线。总磷浓度值范围为0.03～0.61 mg/L。除3号监测点的6月、11月，2号监测点的6月的监测值外，其他监测值范围为0.11～0.61 mg/L，均大于水体发生富营养化的总磷浓度临界值（0.05 mg/L）。实测总磷浓度与发生富营养化临界值的比值范围为1.2～12.2，可见，水体中的总磷浓度已远超富营养化的临界值。

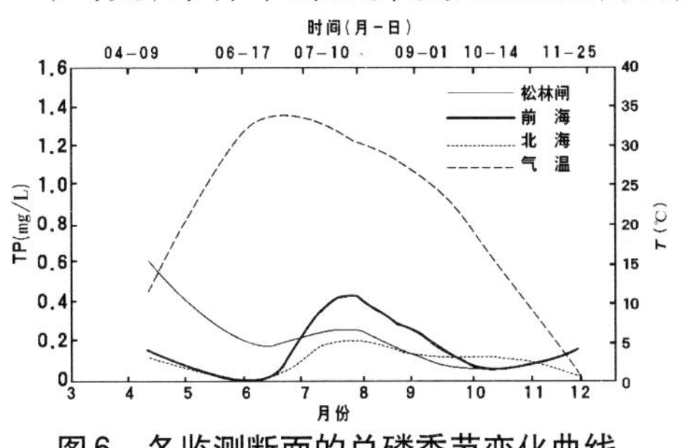

图6　各监测断面的总磷季节变化曲线

2号、3号两个监测点总磷的季节变化趋势比较一致，总体趋势表现为夏季高，其他季节低的显著特点，变化幅度达到100%。水体中的磷主要来自于内源性磷和外源性磷，内源性磷主要来自于底泥，外源性磷主要来自水体外部的汇入。由于总磷难以分解和挥发，因此它的表现特点与总氮截然不同。对于一个较封闭性湖泊来讲，总磷容易富集化，这也是导致水体富营养化的最主要原因。

以上现象可以解释为：夏季温度较高，水体的挟带能力较强，从底泥中释放至水体的磷多于从水体沉降的磷，所以浓度升高；当水温降低时，水体的挟带能力变弱，溶解于水中的磷又沉淀于底部，沉降的多于释放的，所以浓度又降低。可见，浅水湖泊中的磷在水体和底部之间的变换是很剧烈的。夏季，磷从底泥中析出；冬季，磷从水体中沉降，水温则是重要的控制因素。

总磷的空间分布特点与氨氮、总氮基本一致，原因也相同。从监测结果来看，西海、前海的总磷浓度高于北海，一个重要原因是西海、前海水较浅，在太阳的照射下水温较高，底部释放总磷更容易，导致浓度较高；北海水较深，水温稍低，底部释放也更困难一些。

7 富营养化现象

富营养化是指氮、磷等无机营养物大量进入湖泊、水库、海湾等相对封闭的水体，引起藻类和其他水生植物大量繁殖，导致水体溶解氧下降、水质恶化、其他水生生物大量死亡的现象。水域发生富营养化后，藻类大量生长，并产生水华、藻团、缺氧、水生植物生长过快的现象，在富营养化严重的水域，水体的味道、颜色还会发生异常，这些都会影响到水质及水资源的利用。

目前，北京市城市水系的富营养化现象十分严重，由于生活污水、垃圾等源源不断地排入河道，再加上水资源贫乏，没有清水来替换原有污浊水，致使河湖污染物质快速富集。每年夏季，北京市区的“六海”、筒子河、水碓湖等水体发生严重富营养化。

判断富营养化的指标可分为物理、化学和生物学三类指标：物理指标主要指气温、水温、透明度、照度、辐射量等，其中透明度是最常用的指标；化学指标指与藻类增殖有直接关系的溶解氧、二氧化碳、氮、磷、营养盐类等化学物质量，以及与藻类现存量有关的化学需氧量；生物学指标大致分为藻类现存量(叶绿素a)、生物指标(调查特定生物出现的状况)、多样性指数(调查群集生物的多样性)、藻类增殖的潜在能力(AGP)。

由于富营养化现象的复杂性，上述指标往往交织在一起来衡量富营养化的状态。例如，美国环境保护局(USEPA)、美国国家科学院(USNAS)和美国国家工程科学院(USNAE)根据水体营养物质浓度、藻类所含叶绿素a的量、透明度以及水体底层溶解氧等指标来划分水质营养状态。日本湖泊学家吉村根据湖泊学以及水质理化指标、生物学特征和底泥特点，提出了贫营养化和富营养化的判定标准。我国湖北省环境保护研究所等在对武汉东湖进行环境质量评价中，提出了东湖富营养化评价标准，其评价比较侧重水化学指标。

造成水体富营养化的因素很多，其中最主要的是氮和磷元素，这已被众多的试验和监测资料所证实，因此氮磷元素是研究富营养化的关键所在。国际经济合作和发展组织(OECD)的研究表明，水体中氮磷浓度的比值与藻类生长有密切关系。Vollenweider在总结OECD的研究成果后指出，80%的水库湖泊的富营养化是受磷制约的，大约10%的富营养化与氮和磷元素直接相关，余下10%与氮和其他元素有关。一般情况下，水体中藻类可利用的氮远比可利用的磷多，因此磷的含量通常被作为富营养化的标志。我国湖泊富营养化现状大部分情况下磷都是水体富营养化的关键性限制因子。

判断湖体是否发生富营养化的分级标准，水利部水文司1995年编辑出版的《中国水资源评价》中的我国湖库富营养化评分法及评定标准中有相关标准，此标准是我国水利系统常用的湖库富营养化划分标准，其分级标准见表3。其中，水体处于中营养—富营养化过渡水平的总磷浓度值为0.05 mg/L，总氮浓度为0.5 mg/L。

表3　我国湖泊富营养化评分与分级标准(水利部水文司1995年采用标准)

营养状况	指数	总磷(mg/L)	总氮(mg/L)	叶绿素a(mg/L)	高锰酸盐指数(mg/L)	透明度(m)
贫	10	0.001	0.02	0.000 5	0.15	10
	20	0.004	0.05	0.001	0.4	5.0
中	30	0.01	0.1	0.002	1.0	3.0
	40	0.025	0.3	0.004	2.0	1.5
	50	0.05	0.5	0.01	4.0	1.0
富	60	0.1	1.0	0.026	8.0	0.5
	70	0.2	2.0	0.064	10	0.4
	80	0.6	6.0	0.16	25	0.3
	90	0.9	9.0	0.4	40	0.2
	100	1.3	16	1.0	60	0.12

在本项研究中，主要以总磷、总氮浓度为考虑因素，以水利部水文司1995年的标准为依据，结合现场观测到的实际现象研究京城水系富营养化随季节变化的规律性。

在3个测点的6次监测中，总磷浓度绝大多数在“富营养”的范围内，只有个别点次在“中营养”的范围内。因此，仅从磷的浓度来看，研究对象全年都具备了发生富营养化的条件。实际上，富营养化是否发生不仅仅取决于营养元素的浓度，还取决于水温和流态。下面就观测到的现象进行描述和分析。

4月9日，自然水温约12℃，监测各点没有发生富营养化的任何迹象；6月17日，前海由于水浅(平均约1 m)，水温较高，达到28℃，出现了中等程度的富营养化现象。而北海由于水深较深(平均约2 m)，水温低一些，约26℃，只是刚开始出现富营养化的迹象；7月10日，天气炎热，前海水温28℃，出现了重度富营养化现象，水面漂浮有大量的绿藻，水华现象十分严重。而北海水温27.5℃，出现了中度富营养化现象，程度比前海低得多；9月1日，水温回落至25℃以下，各点的富营养化现象有了很大程度的退化，前海由重度退化为中度，北海由中度退化为轻微；10月14日，水温12℃，各处的富营养化现象已基本消失；11月25日，水温3℃，天气寒冷，水面出现了薄冰，水质非常清洁，富营养化的踪迹完全消失。

从以上实际现象可以得到以下几点认识：第一，在营养物质浓度满足条件的前提下，水体是否发生富营养化与季节有密切关系。在观测水体中，当水温不足25℃时，一般不会发生严重的富营养化，当水温上升至26℃以上时，会发生严重的富营养化。第二，湖泊水深对富营养化的发生影响较大，水深越深，水温上升越缓慢，富营养化越不容易发生。反之，水深越浅，水温随气象条件变化越剧烈，水温越高，越容易发生富营养化。第三，在北方地区，每年的6、7、8月份气温最高，是富营养化发生的季节，其他月份气温较低，一般不会发生严重的富营养化现象。

8 主要结论

(1)“六海”水质在一年中的大部分时间内不能满足功能要求，主要污染物COD_{Mn}、NH_3-N、TN、TP浓度均超标，污染物主要来源于补给水，其次是湖泊周围的餐馆、酒吧等排污及人为弃污。

(2)湖泊COD_{Mn}、TP的浓度随季节发生明显变化，表现为夏季高、冬季低的特点。二者浓度变化与水温有很好的对应关系，水温增高时浓度增大，水温降低时浓度变小。原因是：水体挟带污染物质的能力与水温有密切关系，当水温升高时挟带能力增强，污染物质悬浮于水中，难以沉降，表现为水质变差；水温降低时挟带能力降低，水中的污染物容易沉降，表现为水质变好。污染物在水体和底泥之间的交换过程也明显受水温控制。

(3)湖泊总氮浓度随季节变化较为复杂，夏季、冬季浓度最低，春秋季节较高。春季由于外来污染及底泥释放，总氮浓度较高；夏季因水温很高，导致其分解、挥发速度加快，浓度变低；秋季又有所回升，到了冬季又变低。水温对总氮有两个作用：第一是影响分解挥发的速率；第二是由于水体挟带能力的变化而影响浓度。水温很高时第一个因素起主导作用，水温很低时第二个因素起主导作用。

(4)湖泊水体对各类污染物的自净效果较明显，只要截断了各种方式的污染源，靠着其自身的净化能力，可以维持良好的水质。

(5)关于富营养化现象主要有以下几点认识：第一，在营养物质浓度满足条件的前提下，水体是否发生富营养化与季节有密切关系。对观测水域，当水温不足25℃时，一般不会发生严重的富营养化；当水温上升至26℃以上时，有可能发生严重的富营养化。第二，湖泊水深对富营养化的发生影响较大，水深越深，夏季水温上升越缓慢，富营养化越不易发生；反之，水深越浅，夏季水温越高，富营养化越容易发生。第三，在北方地区，每年的6、7、8月份气温最高，是富营养化发生的季节，其他月份气温较低，一般不会发生严重的富营养化现象。

(6)根据“六海”水系的水质现状及变化规律，采取适当的措施可以提高水环境质量。

9 水环境保护措施建议

根据“六海”水系的水质现状、变化规律及污染源特点，为了保护水环境，提出了措施建议。建议中除了有实施截污、加强城市综合管理、加强河湖保洁、加强宣传等一般性措施以外，还包括如下措施。

9.1 湖泊局部挖深

根据以上研究成果，湖泊越深，风浪影响越小，夏天水温越低，水温变化越平缓，底泥污染物质释放量越少，水质越好，越不易发生富营养化。因此，对于局部湖体较浅地段，可以挖深，这对于保护水环境有一定作用。但是，也不是越深越好，如果太深，底部水体不易获得氧气，对水质净化也不利。一般情况下，城市湖泊的深度以2～4 m为宜。

9.2 生态修复

可以通过生态结构改造的方式，构件一个立体生态系统以达到生态修复的目标，例如种植水下草场、构建人工湿地等。但在改良过程中，应注意生态安全性及其运营维护。

9.3 夏季利用地下水抑制富营养化

富营养化发生在水温较高的季节(6～8月份)，夏季可以考虑抽取温度较低的地下水作为湖泊的部分补给水源，通过降低水体水温可以抑制富营养化的发生。

9.4 科学调配水资源

水资源不足是影响水质的重要因素。在北京市缺水的严峻形势下，科学地调配水资源，兼顾节约水源与保护水环境，是水系水环境治理的目标。未来南水北调工程通水后，可以适量地向河湖系统供应一些清洁水。

第六章

城市生态景观湖泊的研究与设计

——以龙子湖为例

2004年，某城市(简称S市)计划开发一个新区，作为教育、科技、商业、居住区域，规划中确定开挖一个湖泊(龙子湖)作为新区的生态景观核心，以提升城市的品位，增加竞争力。市政府对景观湖提出了很高的要求，当地社会各界对此也非常关注。由于城市生态景观河湖与普通的水利工程根本不同，既没有设计规范也没有导则和标准，湖泊设计部门感到责任和压力很大。于是，设计部门邀请了十几家单位的几十位在水利工程、生态环境、景观设计、城市规划方面富有实践经验的专家、学者，召开了几次咨询研讨会，探讨如何做才能将这个湖泊设计得最好？笔者参加了所有的研讨活动，承担了部分研究课题，对该湖的设计方案进行了长时间深入的研究与分析，提出了一整套思路和方法，受到设计部门的好评，提出的方案多数被采纳。以下以该工程为例，论述其设计中需解决的一些重要问题及解决方法。为该工程做过工作的专家很多，考虑到版权问题，在这里笔者只介绍自己的思路、方案和研究成果。有必要说明的是，该新区开发尚在启动中，许多设计方案尚未定型。

第一节　工作方法与设计理念

1　设计目标

S市新区规划的指导思想为“生态城市”和“共生城市”，提出了如下设想：构建一个生态河湖水系，以此为依托，营造城市的绿化系统和生态系统，实现“人与自然、人与历史文化、人与其他物种”的共生。水系开发的任务则是:“改善生态环境，提高城市品位，促进城市发展，培育和发展旅游产业。”水系将成为城市新区的景观核心，新区将成为有风格、有特点的美丽的城区。

新区规划要统一考虑道路网、建设用地、公用设施等方面，因此龙子湖水系被限定在一定的区域内，在这个给定的区域内，湖泊设计则有很大的发挥空间。

规划的新区是平原地带，目前土地利用状况是农田、村庄、道路、池塘。水系建设项目包括水源工程、输水工程、生态湖泊工程等，水源引自于黄河，工程与改造后的城市河流共同构成生态水系。整个龙子湖都是在平地上进行开挖的，无现有湖泊可利用。

湖泊设计部门确定的主要设计目标如下：

(1)保持湖泊水质清洁。这是最重要也是最基本的条件。通过对湖体形态、引退水规模的设计，保证湖水流动分布合理、水体置换率较高；通过生物措施，增加湖水自净能力；通过截污，尽量减少污染物质的流入。以上均是保证“水清”的有效手段。

(2)营造内涵丰富的景观。龙子湖内外岸线总长度约11 km，景观设计有较大发挥余地，可以综合考虑生态水系、现代建筑、当地历史文化等特点，按科学、历史、自然、休闲和健身等主题划分为若干景点、景群，形成环湖风景线。

(3)构筑多自然型湖岸。湖岸形式尽量贴近自然，建设多自然型湖岸，使水生生物、鸟类、湖滨植物有一个良好的繁衍、栖息场所，以实现“人与自然、人与历史文化、人与其他物种共生”的总体规划理念。构筑多自然岸线可以在施工设计阶段考虑，在可行性研究阶段尚不必要。

(4)可持续利用。当地作为缺水城市，“节水”是水系设计的基本要求之一，为此需要加强水资源的综合利用。此外，湖泊水质、景观、生态及各种服务设施的维护也是长期任务，水系建设要满足可持续发展的需要。

2 对龙子湖项目特点的分析

笔者对项目的特点进行了分析，提出了自己的观点，得到设计部门的认可。拟建的龙子湖不是已有湖泊，而是待开挖的湖泊，因而其规划设计具有很大的灵活性，设计者有充分大的创作空间。就像雕塑、绘画艺术大师一样，几乎可以完全按照自己的愿望和理解进行创作，而不同的大师创作的作品风格又会迥然不同。龙子湖的规划、设计、建设具有类似的特点。

然而，龙子湖水系的规划设计也受到许多因素的制约，主要表现在如下几个方面：

(1)龙子湖是新区规划内容的一部分，同时纳入规划的还有分块建设布局、路网布局、管道布局等，水系规划与市政规划相互制约、相互协调。

(2)河湖水系布局受到地形、自然河流系统的制约，必须符合水源供给及水流自然规律。

(3)水系布局在一定程度上必然受到行政、社会方面的影响。

以上限制因素主要制约了湖泊位置的选取、湖泊面积规模、入水及退水流路、湖泊平面形态等，但在局部形态或细节上还有一定的灵活性。龙子湖水系的规划设计在以下几个方面有较大的灵活性：

(1)湖体形态(包括容积及湖底地形)。考虑到水资源供给、水质保护、水生生态平衡、景观、旅游、市民休闲锻炼、亲水性、城市服务功能等多种因素，湖体形态的设计中有许多科学文章可做。

(2)湖岸建设形式。设计中，在考虑以上各种因素的基础上，可以建设“多自然型”湖岸，形态可以说多种多样，这样可以体现先进、多样化的设计理念，使未来的湖泊富有魅力，更好地为城市服务。

(3)湖滨带植物配置。适合于当地气候、地理条件，且干净美观，对水质净化有利的植物种类较多，可以选择多种类型，既能营造美丽的景观，又能体现生物的多样性。

(4)水质生物净化手段。方法较多，可选余地较大，可选植物种类很多，可以结合景观美化进行配置。

(5)在考虑水环境保护的基础上,可以对引用水量进行季节性优化调配，以节约水资源，减少运行期间的购水成本。

(6)在考虑水环境保护的基础上，可以对引水、退水工程布置及水量入湖分配进行优化。

(7)考虑旅游、市民休闲锻炼、亲水性、城市服务功能的各类配置。

(8)考虑城市防洪、雨水入流等的布置。

(9)考虑水资源再利用的问题。

(10)考虑未来与水环境保护相关联的水系及市政管理。

3 设置研究专题

明确了设计目标及项目特点以后，为了实现目标，充分挖掘龙子湖的潜力，使其在未来城市中最大限度地发挥环境及服务功能，有必要对一些关键性的问题进行深入研究，设置一些研究专题。本项目设置专题所遵循的原则如下：

(1)关键性问题。对项目规划设计中面临的一些重要而又具有一定灵活性的问题设立专题进行研究。

(2)不可逆转性问题。湖泊一旦建成，有些问题是难以逆转的，如湖泊形态、深浅分布、水源流路、雨水入口等，必须在规划设计阶段处理好。对于这些问题需设专题进行研究。

(3)可理解性。专题研究的内容、手段、结果，要使设计部门易于理解、易于采用，研究要与设计接轨。

(4)实用性。所列专题必须具有实际应用价值，研究的结果能够直接被设计部门采用，确实能够应用到工程的实际建设中去。

基于以上原则，笔者最初提出了9项需要研究的专题，后经设计部门斟酌并经研讨会讨论后形成了7个项目，题目及基本内容如下：

(1)专题之一：水环境现状质量、污染源调查及预测。

目的是对工程所在地的地表水、地下水环境质量现状进行调查、监测，对未来城市化后的水污染源进行预测，对湖泊水质进行宏观预测，提出污染预防措施，便于在设计阶段考虑，也便于与新区总体规划相协调。

(2)专题之二：湖体形态优化及生态布局研究。

设计一个什么样的湖泊形态最科学、最合理？应该从哪些因素考虑这个问题？因为湖泊一旦挖成注水就很难再重修，实际上，这个过程是不可逆的，因此必须在规划设计阶段把问题考虑得比较周全。

在考虑水流流速分布、富营养化抑制、湖岸开发利用、水生生态环境平衡、景观需要等因素的基础上，对湖泊形态进行优化设计。

(3)专题之三：湖周湿地生态布局研究。

目的是结合湖泊形态优化，考虑污染治理、雨水净化、生态环境、景观效果等，在湖周围设计一些湿地，统一考虑面形态及水生植物的选择及配置。

(4)专题之四：自然型湖岸模式研究。

立项目的是确保用最先进的理念设计出新颖别致、景观美丽、功能多样、利于生态保护、符合环境发展方向的布局方案(或模式)。这也是城市湖泊设计中关键性的环节。

(5)专题之五：湖周陆地景观设计。

目的是在湖周围进行绿化造景，选取多种植物，进行科学搭配，营造生物多样、景观美丽的环境，为人与自然的融合提供场所、创造条件。

(6)专题之六：本地适生植物种类及特性研究。

主要是调查本地区的适生植物种类及生长特点，为陆地景观设计及湿地设计提供基础。

(7)专题之七：龙子湖水系水体流动及水质演化数值模拟研究。

利用成熟的数值模拟技术，模拟湖内水体的流动情况及水质指标在湖内的分布，目的是优化湖泊形态、优化工程布置、优化水资源配置、预测水质演变、分析富营养化。

以上研究专题由设计部门分别委托不同的单位(或联合)承担，笔者参与了如下几项专题的研究工作："水环境现状质量、污染源调查及预测(专题一)”、“湖体形态优化及生态布局研究(专题二)”、“自然型湖岸模式研究(专题四)”、“龙子湖水系水体流动及水质演化数值模拟研究(专题七)”。

4 专题内容及研究方法

在这里,笔者就参与的几项专题的工作内容及研究方法介绍如下。

4.1 水环境现状质量、污染源调查及预测

调查龙子湖所在地环境现状:地形地貌;土地利用现状;土壤情况;鱼塘水池面积及利用;河流流量、水质;地下水水位及水质;水源地(黄河)水质现状;城市雨水水质;等等。对未来污染物种类、污染物浓度及污染物入湖量进行预测。为水环境预测及生态环境设计提供依据。水质委托当地有资质的部门取样化验。

4.2 龙子湖水系水体流动及水质演化数值模拟研究

主要是利用成熟的数值模拟技术,模拟湖内水体的流动及水质情况。在可行性研究阶段,针对已有的湖泊初步设计方案,进行如下计算研究工作:

(1)优化水流流态,使流态更均衡,有利于保护水质。

(2)优化引水流量在进水口的合理分配。

(3)在水量引入时,预测湖泊水体置换率分布情况。

(4)优化引水流量及湖水水位在季节上的合理分配。在水资源供给总量一定的情况下,合理分配引水流量在季节上的变化,可以抑制富营养化的发生。

(5)预测水质分布情况。考虑到污染物可能流入的情况,抓住主要问题,预测水质变化。

(6)数值模拟水质长时间演变情况。

(7)数值模拟分析总磷浓度变化,以作为湖泊是否可能发生富营养化的判断条件。

(8)预测雨水对湖泊水质的影响,为城市防洪雨水入口合理配置提供依据。

(9)为龙子湖运行期水资源综合利用提供服务。

(10)从工程上、管理上、行政上提出水环境保护措施。

在初步设计阶段，针对最终确定的湖泊形态，重新进行以上方面的工作。

4.3 龙子湖生态布局及湖体形态优化研究

在初步设计阶段进行该专题研究，直接为设计服务。

4.3.1 对问题的理解

虽然受到道路网等城市布局的限制，湖泊平面形状设计依然存在很大的可调性。湖泊形态问题是本工程中最重要、最敏感的问题，实际上这个问题是不可逆的，设计一个什么样的湖泊最科学、最合理？应该从哪些因素考虑这个问题？必须在规划设计阶段考虑得比较周全。

湖泊生态环境布局与湖泊地形紧密相关，形态是基础，是生态布置得以实现的前提条件，因此生态环境布局与地形设计是不可分割的。而地形又会影响到水流流态，影响水体置换问题，与水质保护关系密切，水体置换是保持水质良好的最可靠、最安全、最有效的手段。因此，生态环境布局—湖泊地形设计—水流流态是一个不可分割的整体，须纳入一体化进行研究。这是一个涉及到多种专业的综合性问题。

4.3.2 生态布局问题研究

龙子湖生态布局问题主要包括如下内容：岸线分段功能区划；人类与自然的和谐相处；植物配置区划；水质净化湿地；生态岛屿；水体内水生生物平衡问题；运行期生态管理及控制；等等。涉及到环境、社会、人文、生物、水利等，面较广，问题比较重要，需要在设计部门的协同下，由相关领域的几家单位共同完成。

生态布局工作内容主要有以下几个方面：

(1)在设计湖泊形态时，需要考虑局部岸线的功能问题，并纳入总体功能区划中。

(2)设计湖泊形态时，考虑人类与自然的和谐问题，湖泊能够为城市居民提供一个景观优美、层次丰富的水域环境。

(3)设计湖泊形态时，必然考虑到局部范围内的植物配置问题，提出一系列设想和要求，与陆域景观设计相协调，而并非替代景观设计。

(4)设计湖泊形态时，需要考虑水质净化湿地配置问题，考虑生态岛屿问题。

因此，湖泊形态设计涉及到生态布局问题，生态布局专题也离不开湖泊形态问题。

4.3.3 湖体形态优化研究

湖体形态优化研究主要考虑以下方面的内容：岸线分段局部功能区划；人类与自然的和谐相处；植物配置区划；水质净化湿地；生态岛屿；水流流速分布；富营养化抑制；湖岸开发利用；与周边城市功能相协调的文化内涵问题；水流流速分布问题；等等。

(1)岸线分段局部功能区划。未来的龙子湖周围都将建起大学，湖泊将具有多功能，为城市居民及文化教育服务是其重要的职能，因此必须考虑其功能区划问题。

(2)人类与自然的和谐问题。考虑居民休闲、游览、观光问题，考虑为大学师生创造一个富有文化气息的优美环境。

(3)植物配置区划问题。在局部范围内，必然要考虑植物配置原则，以使景观、自然、环境、文化相协调。

(4)水质净化湿地。湖泊形态必须与水质净化湿地布置结合起来。

(5)生态岛屿。在湖泊形态设计时，考虑设置几处孤立岛屿，为鸟类创造一个安全、幽静的栖息地。

(6)富营养化抑制。根据目前为止的湖泊水质观测成果，在同样水质条件下，水深越深，夏天越不易发生富营养化。因此，应在已有研究成果的基础上考虑水深布局问题。

(7)湖岸开发利用。主要考虑旅游、教育场所等问题。

(8)与周边城市功能相协调的文化内涵问题。对各种区域赋予文化内涵。

(9)水流流速分布问题。湖泊地形对水流影响较大，注水时在入流—出流的流路上，湖泊主体水域应保持流畅，湖水替换进程应保持均衡，水体能得到有效替换，对保护水质有利。给定几个方案，分别进行水流流态的数值模拟，比较其特点，利于湖泊形态的调整。

4.4 多自然型湖岸模式研究

在初步设计阶段进行该专题研究，直接为设计服务。

所谓“多自然型湖岸”是来自于日本的一个名词，意思就是把河湖岸边建设得贴近自然，体现出景观的丰富性、形式的多样性、感官上的柔和性。该课题目的是确保用最先进、最现代的理念协助设计部门设计出新颖别致、景观美丽、功能多样、利于生态保护、符合环境发展方向的布局方案(或模式)。这也是城市湖泊设计中较关键的环节。目前,在国内该项工作属于起步状态。

该项目属于美学、生态学方面的工作，发挥余地较大，设计风格也会因人而异，而且无现成的模式可言，更无设计标准、规范。

目前,国内的园林景观设计与“多自然型湖岸”既有密切的联系，又有本质的区别，考虑问题的出发点不尽相同。进行“多自然型湖岸”的研究，与园林设计进行优势互补，提出一系列创新模式，沿湖进行组合布置，以提高龙子湖的生态功能，形成其与众不同的风格，凸现其特点。要搞好该项工作，必须在以下工作的基础上完成：

(1)对国内已有类似的工程进行考察研究,对河湖岸边形式的优点和缺点进行研究，吸取优点、避免缺点，使得龙子湖岸边设计更先进。

(2)收集研究国际上的有关资料，吸取国际先进经验，用于规划设计布局中。在这方面，日本做的工作较多，资料较多，可以作为重点参考的对象。

(3)学习国内有关人士的先进思想。国内有若干人士在这方面有着独到的思想和见解,有着丰富的国外生活经验,掌握着大量的资料。充分学习他们的思想，用于设计中。

第二节　湖泊形态优化设计

1　设计方案优化

新区规划中将龙子湖限定于外环路以内、内环路以外的范围内，也就是在一个“回”字形的夹层内。由于受到限制，湖泊形状只能设计成环绕状，但湖泊平面形态及湖底地形仍有很大的可塑性，形态上仍然有很大的优化空间。由于湖泊生态环境布局(含自然湿地、景观布局、旅游休闲、多自然岸线构筑、城市服务功能等)中的众多因素都与湖泊形态紧密相关，因此形态优化是设计中很重要的一环。湖体形态优化研究主要考虑岸线功能分区、人与自然的和谐、植物配置区划、湿地、生态岛屿、水体流动、富营养化抑制、开发利用、景观需要、文化内涵等方面。优化的目的就是提出一个科学合理的、能够将各种因素融入其中的湖泊设计方案。

设计部门根据场地情况提出了一个初步设计方案(方案1)，见图1。北部湖面较窄处宽度约200 m，西部湖面最宽处约560 m，南部宽度约360 m，东部宽度约470 m。湖外圈岸线长度约6.2 km，湖内圈岸线长度约4.5 km。未来湖面加上湖滨地带形成一个开放式都市公园，公园面积2.2 km^2，其中陆地绿化面积0.8 km^2、水域面积1.4 km^2。既然要优化，就必须有一个起点，在此基础上，研究存在的问题，进行逐步改进，设计方案就会越来越完善。方案1就是一个起点。

笔者对此方案进行了认真研究，认为湖泊平面形态与场地条件相适应，岸线曲折优美，框架基本合理。但存在如下不足，需要改进：

(1)岸滩坡度过分平缓，多在1/50～1/100之间，水位涨落的消落带太宽，容易形成烂泥滩，对景观不利，也不利于行船等水面利用；水深过浅易造成夏季水温太高，容易发生富营养化；易造成水体流动困难，不利于水体交换，对水环境保护不利。

(2)水深布局不合理。在湖的南半部水深相对较深(深处2 m)，而北半部则相对较浅(深处1.5 m)，夏季水深的地方水质优于水浅的地方，而入水口在北部，退水口在南侧，换水时好水流出湖泊、较差的水则留存于湖内。由于以上原因，所以水深布局不合理。

(3)4个岛屿面积太大。小的近10 000 m²，大的近20 000 m²，这种岛屿给人的感觉不是“岛屿”而是“陆地”，于景观不利；而且

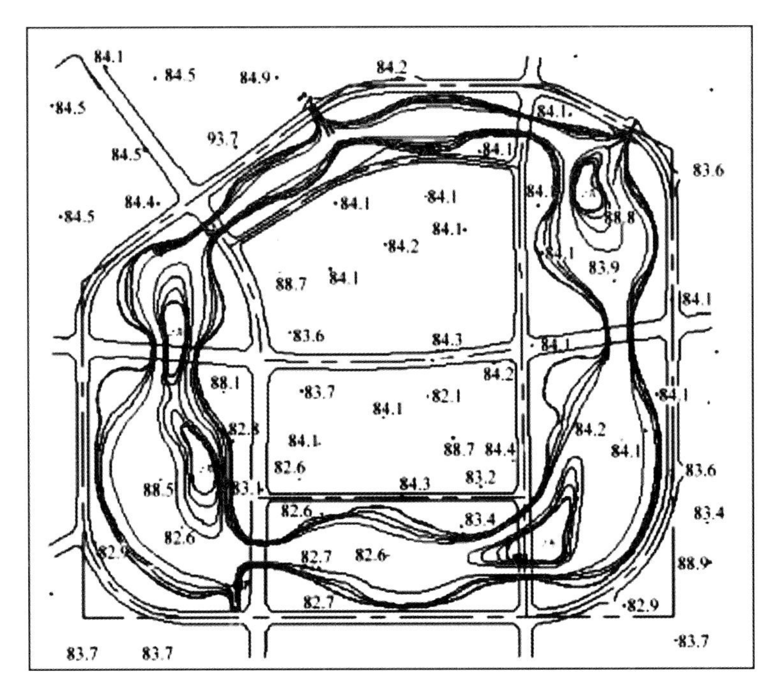

图1　设计方案1

大面积的岛屿往往被人利用，被用于建设宾馆、餐厅之类的场所，难以起到生态保护的作用。

(4)岛屿与陆地之间太窄浅。作为生态岛屿，目的就是为动植物提供一个安全、安静的栖息地。岛屿与陆地之间的窄浅水域，使人类很

容易登上岛，造成干扰。

(5)湖泊北部道路桥梁处的河道太窄，使水流流动、水体交换不利。

(6)湖岸形态没有考虑开发利用(如游船码头)、亲水性(如游泳场)等。

在以上认识的基础上，与设计部门进行了充分的探讨，对湖泊设计形态进行了改进，笔者提出了方案2（见图2)。

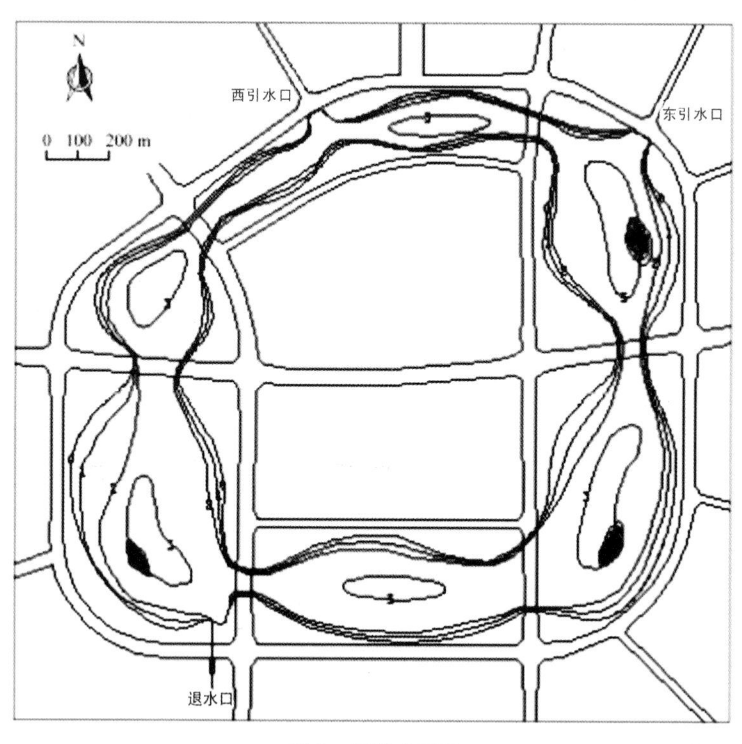

图2 设计方案2

方案2在方案1的基础上做了如下修改：

(1)岸滩坡度由原来的1/50～1/100变为1/5～1/20，有利于岸线的开发利用，但依然属于缓坡。

(2)水深布局进行了调整。在每一片湖的核心都加大了水深，由原来的不足2 m增加到3 m。对于城市景观湖泊来讲，这个水深是最适宜的，对保护水质、减缓富营养化的发生有利，而且效果明显。水深总体布局更趋于合理。

(3)生态保护岛由4个减为3个，调整了岛屿位置，加大岛屿与岸边的距离，用深水通道隔开，提高了岛屿的安全度，对保护生态环境有利。减小了岛的尺度，面积由原来的10 000～20 000 m^2变为2 000～3 000 m^2，这个尺度比较合理，对景观及生态保护都有利。

(4)湖泊北部道路桥梁处的河道进行了拓宽，由原来的50 m变为80 m，对水流流动、水体交换更有利，有利于发挥水面景观效果。

(5)贯彻了“以人为本”的原则。为了让龙子湖更好地服务于市民，设置了两处“都市海滩”，这两处地形、水深、面积都适宜于用做游泳、嬉水的场所，供人们在夏天游泳、嬉水。

(6)湖岸形态考虑了开发利用。考虑到将来居民休闲、开发旅游十分重要，岸边水深设计中考虑了4处码头，外岸2处、里岸2处。根据龙子湖的尺度、布局形态，根据游人的一般行动规律，4处码头是合理的，数量太多或太少都不太合理。此外，还考虑了码头与城市防灾的结合，必要时可用于消防取水，其位置配置既考虑了游人的通道，也考虑了消防通道。

(7)对湖岸线进行了适当调整。主要是考虑为陆地绿化造景，为人类活动留下适宜的空间。

因为贯穿龙子湖的道路桥梁有6座，城市规划部门提出湖泊设计中应尽量减少桥梁建设投资，希望保留原设计中两座桥下的岛屿，作为桥梁支撑。于是就形成了方案3，见图3。与方案2相比，方案3恢复了原设计中两座桥下的岛屿，其他没有变化。

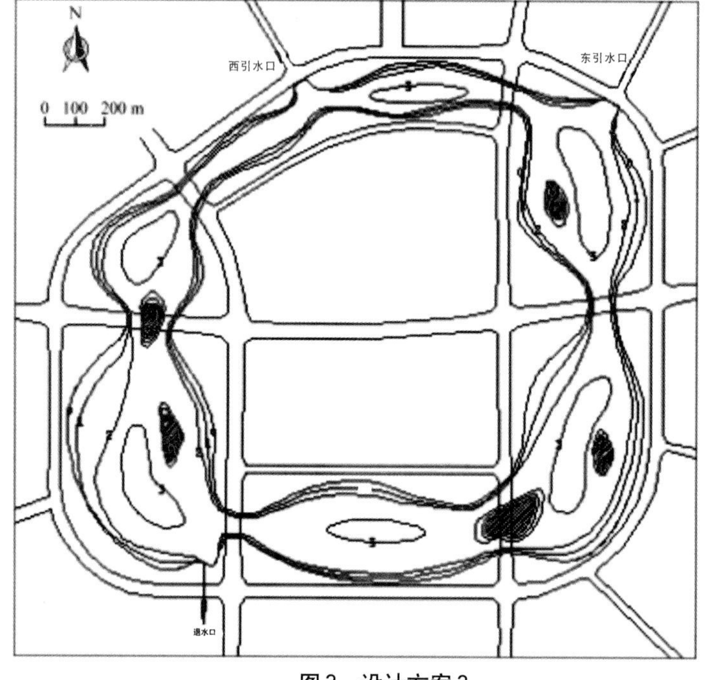

图3　设计方案3

之后，笔者又对湖泊形态进行了更进一步的研究和修改，提出了方案4，见图4。

在方案4中，前面方案的优点全部保留，主要变化是将主湖核心区的深槽沟通起来，对于水环境保护、水流流动、水体交换有利。方案中的水面景观见图5。

至此，方案4被作为可行性研究阶段的基本方案，下一步的工作，如水体流动及水质演变的数值模拟、引水口工程布置优化、水资源优化调配、湿地生态系统布局等在此基础上进行。

在龙子湖形态设计方案优化过程中，设计部门组织专家学者进行了多次研讨，考虑的因素(如工程布局、生态环境、水质保护等)越来越全面，方案越来越科学。总结一下，基本方案(方案4)主要有如下特征：

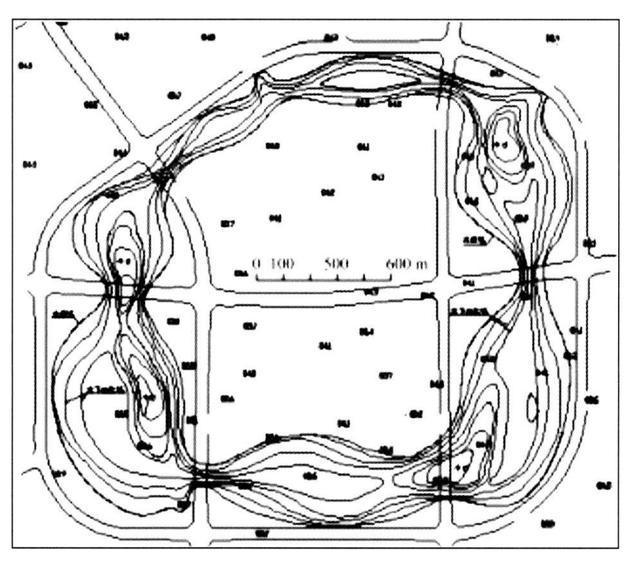

图4　设计方案4

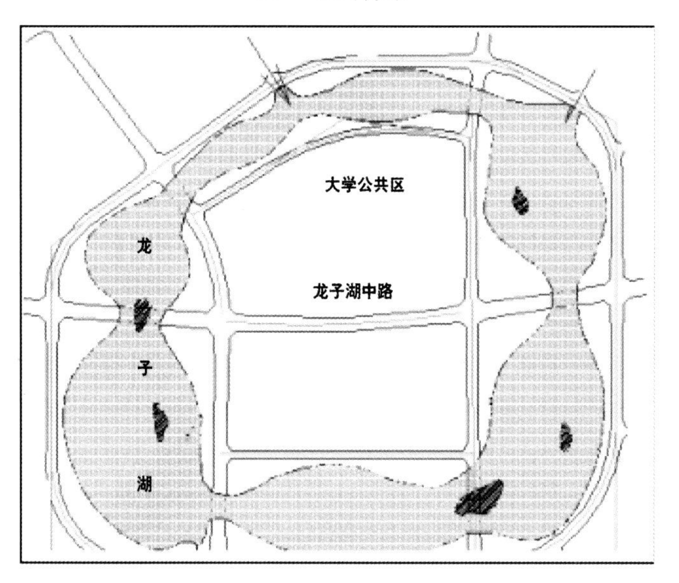

图5　方案4的水面景观

(1)满足城市总体规划要求。新区道路网、城市建设、河湖水系布局是一个整体，根据市政府规划部门的要求，湖泊形态要在不改变道路及城市规划布局的前提下进行设计。该方案满足这个要求。

(2)岸线设计成曲线。在专家研讨会上，人们一致提出，自然河湖的岸线都是曲折的，直线型岸线不符合自然法则，显得死板，显得过度人工化，不利于创造多样性的生态环境，也不利于景观。吸取了专家们的意见，岸线设计成曲线型。

(3)边坡设计成缓坡。为了创造一个良好的岸线生态环境，边坡没有设计成直立峭壁式。缓坡的设计为下一步湿地、景观等多自然型岸线的构筑创造了基础条件。

(4)考虑到桥梁建设节约资金。满足了市政规划部门的要求，龙子湖形态设计时考虑了桥梁建设问题，桥梁处的水面宽度不超过100 m，考虑到水面太窄会影响景观，一般宽度控制在80～100 m范围内。并在两处设置了岛屿，既增加了景观的丰富性，又可以作为桥梁的支撑。

(5)设置了生态保护岛。在宽阔的水域，设置了3处生态保护岛，目的是为水禽、候鸟等提供一个安全、安静的栖息地，有效保护生态多样性。生态岛距离最近的岸线都在100 m以上，岛与岸之间的水深都在2 m以上，可以有效地阻隔人类，保护岛上环境不受或少受人类破坏。

(6)水深布局考虑了水环境保护。水深布局考虑了水域水面开阔性，考虑了东、西两条流路的流动均衡性，考虑了夏天富营养化的抑制，考虑了换水过程的效果。

(7)考虑了岸线开发利用，考虑了陆地绿化造景及人类活动空间，考虑了亲水性等人与自然的和谐问题。

总之，设计方案是在探讨和考虑了很多因素的情况下优化出来的，为以后的许多因素(比如景观设计、自然型岸线设计、环境文化的建立等)搭建了一个科学合理的构架。随着对问题认识的逐步深入，对于一些深层次的问题考虑得会越来越成熟，比如在初步设计阶段还需要在更高的层次上对湖泊形态进一步优化。

2 景观概念设计

在方案4被确认之后，设计上停滞了一段时间，原因是下一步的目标不明确，感到了一种困惑。笔者进一步研究后认为：方案4虽然考虑了很多因素，但水面景观与北京“六海”类似，水体均为宽阔水面，站在水边赏景时会发现，水面一目了然，景观单一，层次贫乏，缺乏变化，缺乏意境，缺乏韵味。因此，方案4只能说是完成了第一阶段的任务，而第二阶段的任务就是所谓“湖体形态景观设计”，创造一个景色美丽、富有魅力、意境超脱的湖泊，并为湖泊赋予浓厚的文化色彩。只有达到这个目标，才能说设计水准登上了一个很高的层次。

在以上思维方式的推动下，笔者又开始了湖泊景观设计的尝试，提出了“龙子湖景观设计概念图”(见图6)。设计该图案的目的不是为了提供一个完整的设计方案，而是提供一个概念、提供一个思路、提供一个模式、提供一个风格、提供一个方向，以起到启发设计、指导设计、推动设计的作用。笔者在专家研讨会上将此方案发表后，获得与会设计人员及专家学者的高度评价。下面对此景观方案的设计思路及特点进行介绍。

景观概念设计理念：

(1)在基本方案的基础上，对湖体形态进行了景观设计；

(2)涵盖了基本方案在水流、生态、服务等方面的优点；

(3)吸收了其他优秀水系设计的经验与方法；

(4)重视人与自然的和谐；

(5)注重水系对人类的服务功能。

景观概念设计要点：

(1)基本保留初始方案的外岸轮廓，对内岸进行了重新设计；

(2基于水流顺畅、水质保证的考虑，保持湖体外围较宽的主水域；

(3)将内岸岸线的水区、陆区重新划分，并进行分区，设计了4个景区。

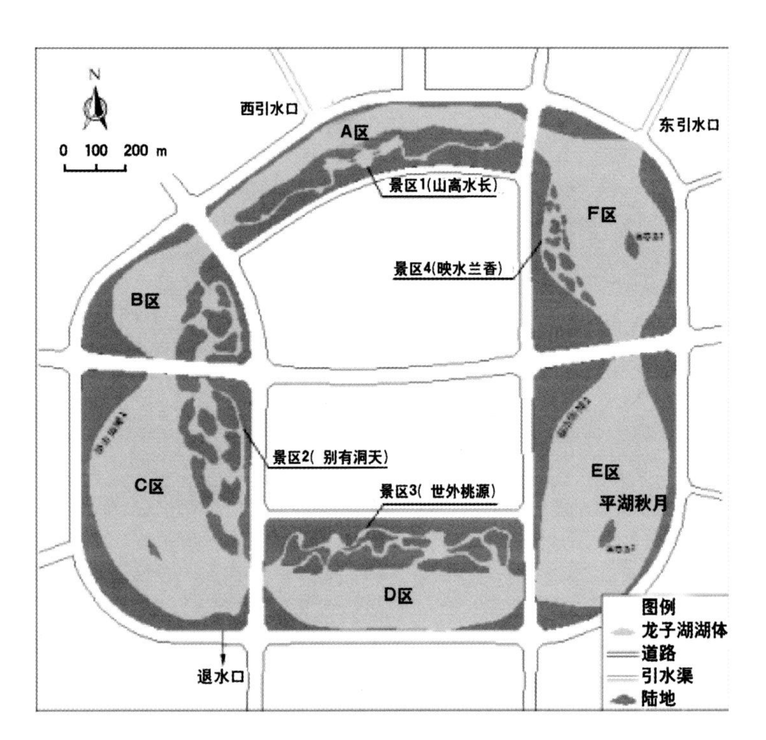

图6 龙子湖景观设计概念图

景观概念设计包括4个景区。

● 景区1：山高水长

(1)位于北侧A区的内岸。

(2)在主水域以南的陆地中，设计了两条狭长、蜿蜒的河道，每一条长约400 m，宽5～8 m，二者大小及形状相同，位置对称，形似两条小龙，中间有一个圆形的小湖，整体图案形成“二龙戏珠”，与“龙子湖”的名称相对应。

(3)挖河造山，河道两侧堆积成连绵起伏的山丘，高度6～10 m，山上配置松、柳等高大乔木，郁郁葱葱，达到绿化、美景的要求。

(4)河道蜿蜒细长，长度、宽度都适合于旅游，两岸山峦树木，构成一个完整的景观走廊，起名叫“山高水长”。夏季,游览其中，人融入山峦—森林—河道的环境中，沿着弯曲的河道行进，景色变幻，趣味无穷；冬季，特别是大雪纷飞的天气里，这里更是别有光景，河道结冰，河面上、树上、山上被白雪覆盖，雪山、雪树、雪河、纷纷扬扬的雪花，形成一个“林海雪原”的世界。

(5)从生态上看,这种设计具有防护林的功能,特别是在初冬季节，西北寒流频繁来袭，山丘树木可以抵挡西北风，减缓风势，保护南侧的大学公共社区。

(6)从水环境保护的角度来看，“二龙戏珠”河道有3个口门和外面的主水域连通,利于水体与外部的交换,对保护水质有利。此外,由于河道在山林中穿行，夏季炎热季节，水面被树木遮盖，免受太阳直射，水温较低，不易发生富营养化。

● 景区2：别有洞天

(1)位于西侧B、C区的东岸，设计了一片水陆交错、斑驳的区域，在这个区域内，水、陆相间，面积各占50%。

(2)将湖湾开挖的泥土堆积在岛屿上，形成“岛屿山丘”，滨湖留出人行游览便道。水域以短河道、小湖泊、湖湾为主，相互连通，岛屿岸线曲折变化，水陆形态异常复杂。

(3)岛屿、岸边植物配置为银杏、黄栌、枫树等树种，主要目的是营造富有特色的秋季景观。

(4)每一处湖湾都形成一个独立的景观，湖光、山影、森林浑然一体，乘船游览其中，使人转过河道，便见湖色，辞别一景又来一景，变幻无穷，妙不可言，有“别有洞天”的感觉。

(5)秋末，银杏、黄栌、枫树等树叶金黄、彤红，呈现一片色彩斑斓的世界，成为秋季有特殊色彩的景区。

(6)山林兼具防风林的功能，初冬能阻挡西北风，保护东部的大学公共区。

(7)水域连通性较好，有利于水体交换，夏季山林遮挡烈日，防止水温升得过高，有利于水环境保护。

● 景区3：世外桃源

(1)位于南侧D区的北岸，设计了数条蜿蜒曲折的河道，河道纵横交错，相互连通。以窄长河道为主，布成错综复杂的水网，中间镶嵌两处小湖泊，水系形态富于变化，韵味无穷。

(2)水系所在陆地堆成5 m以下的低矮山丘，形成连绵起伏的山脉，山上易于绿化。

(3)此区朝南，阳光充足，可配置樱花、桃树、杏树、丁香树等春夏季开花的乔木、灌木。春夏季节，各类鲜花依次盛开，漫山美景，踏入其中，风光无限，宛若世外桃源，故取名为“世外桃源”。

(4)由于河道相互连通，有利于水体的交换，对水环境保护有利。

● 景区4：映水兰香

位于东侧F区的西岸。紧靠原岸线设计了一片浅水—沙洲交替的地带，营造出一片典型的湿地景观。

以浅滩、洼地、低丘为主，水域水深不超过0.5 m，低丘高出水面不超过1 m，形成水陆间杂、交错带。

配置相应的水生、陆生植物，形成自然生态区，保护生物多样性，追求自然个性。

岸边可预留一些活动场地，作为生态教育区，进行生态保护的宣传教育。

● 其他设置

其他设置包括如下几个方面(见图7)。

(1)都市海滩。在C、E两个宽阔水域，设置了两处都市海滩，夏

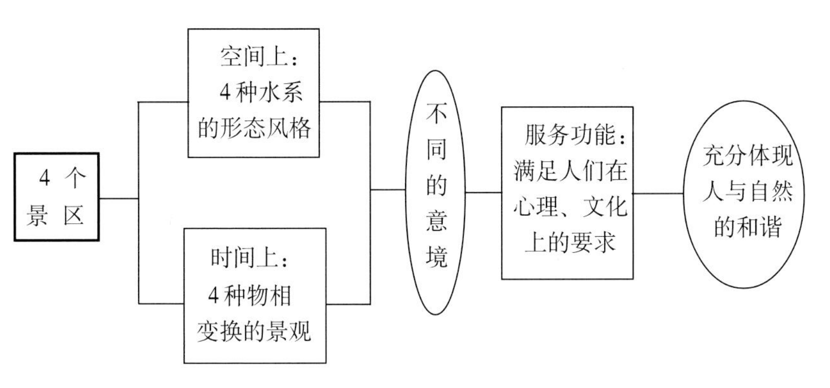

图7　其他设置

季供人们嬉水、游泳。每一处海滩的岸线长度约有500 m，宽度100 m，安全水深1.5 m，场地有很大的容量。

(2)生态岛。在C、E、F区，设置了3个生态保护岛，避免人类踏入，为水禽类提供栖息地，使得生态环境内容更丰富。

(3)平湖秋月。E区在东南方设计为开阔的水面。中秋之夜，月亮从东南方升起，人们可在岸滩上赏景，明月倒影于水中，形成美景，可取名“平湖秋月”。

(4)活动广场。E、F区的内陆地，可设置活动广场，供人们活动。

为了展现一下想像中的效果，笔者请一位艺术专业的大学生对这4个景区各画了一幅水彩画。画前笔者向她简要描述了各景区的特点，让她展开自己的想像，不拘泥于任何形式，轻松、随意地进行创作。学生利用一个下午的时间画出了想像中的图画，见下面景区图。可以说，这几幅图画与笔者想像中的意境相差很远，但也基本上表达出了一些特征。不管怎样，学生的绘画技巧还是很流畅的，想像力还是比较丰富的。

景区 1　山高水长（学生创意图）

景区 2　别有洞天（学生创意图）

景区3　世外桃源（学生创意图）

景区4　映水兰香（学生创意图）

3 在文化功能上的考虑

(1)新区规划建设15所大学，未来有10多万师生生活在这里，另外还有30万居民。优美的湖泊为大学师生、居民提供一个赏景、学习、休闲、娱乐、锻炼场所。预计每天都要吸引5万人来这里活动，一年四季，这里会成为学生、市民最喜爱的场所。

(2)湖泊可以成为一个生态环境教育场所，小学生、中学生、大学生、居民、普通游客等可来这里参观学习，普及科学知识，感受生态河湖建设的重要意义，感受人与自然和谐相处的意境，感受保护环境的责任。

(3)湖泊提供集体活动场所，春天鲜花盛开之际，可以集体来这里踏青、划船，欣赏鲜花，举行歌舞比赛；中秋之夜，可以集体举行赏月活动，表演节目。总之，一年四季都可以在这里举行各类有益的集体活动。外地游客、外来学者、外来官员、外来投资者等都可以在这里学到知识、受到启发、得到教育。

(4)为诗人、作家、音乐家、美术家提供了创作场所，一个变幻无穷、风光美丽的湖泊，可以启发一些艺术大师的灵感，可以成为诗人、作家、音乐家、美术家取材的源泉，可以成为他们赞美的对象。

(5)为影视提供拍摄场所，景观美丽、层次丰富的湖泊往往成为影视拍摄基地，以此为背景演绎出许多故事。

4 问题与讨论

湖泊形态优化及景观概念设计是在设计理念的基础上进行的，能够在最大程度上保证设计理念得到实施。笔者提出了景观设计概念图，之后，一家景观设计公司也提出了一个景观设计概念图。这两个概念设计在理念上差别较大，风格差别也很大。笔者基于对生活和自然的理解和认识、基于对科学的掌握、吸取了古今中外同类设计中的精华，提出了设计概念，其中主要考虑了社会服务功能、生态环境、景观层次、文化特点等方面。景观公司的设计主要考虑了以下几个方面：①湖泊形态追求地皮商业利润最大化；②周围陆地布置常见的人工造景；③方案中没有论及社会服务功能、生态功能、文化底蕴等方面。以上两个景观设计概念方案都成为设计部门及建设部门决策的依据。

笔者认为，追求商业利润是重要的，我们毕竟生活在商品社会。但是，假如S市最终将土地利润最大化作为设计方案的理念，那么这个景观湖就会成为一个庸俗、平淡、缺乏魅力的湖泊，达不到预期目标，建设就会归于失败。设计就变得平平淡淡、缺乏特色，就会举不出多少能吸引人的地方。在湖泊区域内，只需要考虑如何建设一个有用、生态、完美、超然、浪漫、变幻的湖泊就可以了，千万不能把商业问题卷进去，考虑商业问题会把问题庸俗化。就像李白写诗一样，全凭一股超然、浪漫的激情，才能写出流芳千古的诗词来，试想，如果一心考虑如何赚到银子，李白能写出什么样的诗，岂不成了账房先生的账本。

S市新区规划面积40 km^2，其中生态河湖景区面积2.2 km^2(水面1.4 km^2，绿化地0.8 km^2)，建设面积近38 km^2。因此，在占据了95%比例的建设区内当然要考虑商业问题，而在面积很小的河湖景区内则不应该打商业的主意。只有拥有一个不受商业影响、自然、浪漫、超然、变幻的湖泊水系，整个新区才有魅力，才能普遍升值；反之，如果连湖泊景区都要商业优先，整个新区都是商业优先，则新区也就失去了特色，造成的后果就是整个新区大贬值。

搞这样的一个城市生态景观水系的设计是很复杂的，需要考虑的问题很多，没有成型的规则可言。要创造出一个优秀的作品靠什么？一靠对生活的认识和积累，二靠对大自然的理解和认识，三靠文化艺术素养的积累，四靠对古今中外同类设计的了解和认识，五靠对科学知识的掌握和了解，六靠来自于内心的一些灵感。总之，不能一味地依靠教科书，如果只会按照教科书或什么“培训教材”一类的书本工作，那你只能设计出三流的作品。

第三节　环境现状调查及污染源预测

先人在设计景观河湖的时候，是凭着对自然法则的理解和深厚的文化底蕴，很大程度上靠着一种感觉来设计，缺乏数据化的手段。由于城市人口少，不存在污染严重、水资源短缺这样的问题，因而也很少考虑这方面的问题。由于时代的变化，现代化城市建设规模越来越大、人口越来越多、内容越来越复杂，水资源短缺及水系污染问题日益突出，因而生态景观河湖的设计中则必须要考虑这些问题，此外现代化、科学化、数据化的手段(比如水质预测、计算机数值模拟等)也得到普遍应用，这些都成为设计中重要的一环。本节介绍龙子湖的“环境现状调查及水污染源预测”，这也是设计中重要的一项内容，它为污染控制、水资源合理利用提供一个科学、合理的解决方案，用于设计中的决策。

1　环境现状调查

龙子湖环境现状调查内容包括自然环境现状、社会环境现状、环境质量现状三大部分，需要收集资料、到现场调查、进行监测。在这里只做简单介绍。

1.1　自然环境现状

主要调查工程所在地(规划新区)的气候、地形地貌、地质、河流水系、地下水、土壤植被等内容。

1.2　社会环境现状

主要调查行政区划、土地利用、农业生产及居民生活水平、城镇建设及交通、水资源利用等内容。

1.3　水污染源现状

穿过工程区域的4条河流是S市的主要纳污河流，接纳了该市大部分工业废水和生活污水，因此河段污染非常严重。据调查，4条河流的上游有支流、明渠17条，这些沟渠有的流过S市区，有的流过城乡接合部，沿线许多单位和住户将管道接入渠内，把河道明渠当成排污通道，肆意倾倒垃圾，导致严重污染。长期以来，居民已形成乱倒垃圾、乱泼脏水的恶习，使沟渠成为天然“公共粪堆集中地”。上述人为弃污现象导致了水环境较差、雨期沟满壕平、污水漫溢，非雨期则臭气熏天、垃圾遍地，所以城市污水及垃圾排放是河流污染的主要来源。

1.4 地表水水质现状

对4条河流丰、平、枯水期的水质进行了取样监测，监测指标包括水温、pH值、溶解氧(DO)、高锰酸盐指数(COD_{Mn})、五日生化需氧量(BOD_5)、氨氮(NH_3-N)、挥发酚、氰化物、砷、汞、六价铬、铅、镉、石油类、铜、锌、化学需氧量(COD_{Cr})、氟化物等18项，在此基础上对各河段现状水质进行了评价。

4条河流中的重金属(砷、汞、六价铬、铅、镉、铜、锌)及氰化物、氟化物等浓度一般在地表水水质(GB3838—2002)Ⅰ～Ⅲ类水之间；而溶解氧、高锰酸盐指数、五日生化需氧量、氨氮(NH_3-N)、挥发酚、石油类、化学需氧量等水质指标均为Ⅴ类或劣Ⅴ类，有机污染非常严重。

1.5 地下水水质现状

由于在龙子湖运行初期，拟采用部分浅层地下水补给湖体水量，因此需调查了解浅层地下水的水质现状。2004年3月，委托有关部门对龙子湖地区的浅层地下水水质进行了监测。监测内容包括两部分：

(1)选取10个监测点，对K^+、Na^+、Ca^{2+}、Mg^{2+}、NH_4^+、Cl^-、SO_4^{2-}、HCO_3^-、CO_3^{2-}、OH^-、NO_3^-及矿化度、pH值等地下水项目进行了监测。

(2)为了解抽取地下水补水对未来龙子湖水质的影响，选取了4个监测点，进行了地表水项目的监测，监测项目包括COD_{Mn}、COD_{Cr}、DO、BOD_5、NH_4^+、总氮、总磷、Cu、Zn、F^-、Se、As、Cd、Cr(6价)、Pb、氰化物、挥发酚、硫化物、NO_3^-、Fe、Mn、pH值等。

按照舒卡列夫分类法，龙子湖地区的浅层地下水化学类型主要属于$HCO_3-Ca\cdot Na$和$HCO_3-Ca\cdot Mg$型。

根据对地表水项目的分析结果，浅层地下水水质大部分指标能满足Ⅰ类标准，但部分指标浓度较高，个别达到劣Ⅴ类。如果取龙子湖地区地表水的5种主要污染物指标进行分析，可以看到，地下水中的此5种污染物浓度也普遍较高，其中，BOD_5为Ⅳ～劣Ⅴ类，COD_{Cr}为Ⅰ～Ⅴ类，总氮为Ⅲ～劣Ⅴ类(按湖、库标准)，总磷为Ⅰ～Ⅴ类(按湖、库标准)，氨氮为Ⅰ～劣Ⅴ类(按湖、库标准)。

1.6 水源地水质现状

由于各种因素，龙子湖近期供水拟采用抽取地下水、收集湖周地表径流量等方式解决。采取水体机械动力循环和生物处理措施，保护水质。

根据总体规划，龙子湖未来永久性的水源来自于黄河，根据2002～2004年监测，水源断面的水质评价见表1，水质在大部分监测时段内不能满足地表水Ⅲ类标准，主要超标项目为氨氮、高锰酸盐指数、化学需氧量、总磷等，且往往超过Ⅴ类标准。但是，从2003年下半年至2004年初，水质有所好转，水质一般可达到Ⅲ～Ⅳ类，且超过Ⅲ类标准的主要为化学需氧量和氨氮。

2 新区建设规划调查

因为污染源排放与城市建设密切相关，因此要进行污染源预测，必须先进行城市建设规划调查，可以通过建设管理部门收集规划报告、可研报告等技术资料，从中进行了解。

2.1 新区总体建设规划

龙子湖地区南北长10 km，东西宽4 km，总用地约40 km^2，规划总人口为35万左右。控制性详细规划把该地区由北向南分为A、B、C、D4个区，其中A区为居住、商业金融、行政办公、移民安置等用地；B区为大学校园区，包括高等院校和发展预留的高校、科研中心及部分教职工和学生宿舍用地；C区主要由一家污水处理厂及教育科研设计用地组成；D区为居住、商业金融、教育科研设计用地。龙子湖地区规划道路总长169.3 km，规划立交桥12座、停车场19处、公

表1 2002～2004年水源断面水质现状评价结果

年份	月份	流量(m^3/s)	水质类别	超标项目	规划水质类别
2002	8	625	Ⅳ	非离子氨	Ⅲ
	9	508	劣Ⅴ	非离子氨、氟化物、溶解氧	
	10	640	劣Ⅴ	化学需氧量、高锰酸盐指数、氟化物、总磷	
	11	310	Ⅴ	化学需氧量、高锰酸盐指数、氨氮	
	12	202	劣Ⅴ	化学需氧量、高锰酸盐指数、氨氮	
2003	1	194	劣Ⅴ	化学需氧量、高锰酸盐指数、氨氮、总磷	
	2	180	劣Ⅴ	化学需氧量、氨氮、总磷、石油类	
	3	585	劣Ⅴ	氨氮、高锰酸盐指数、化学需氧量、总磷	
	4	760	劣Ⅴ	氨氮、化学需氧量、总磷	
	5	395	Ⅴ	氨氮、化学需氧量	
	6	670	Ⅳ	高锰酸盐指数	
	7	448	Ⅴ	氨氮、高锰酸盐指数、化学需氧量	
	8	368	劣Ⅴ	化学需氧量、高锰酸盐指数	
	9	2 660	Ⅲ	—	
	10	2 460	Ⅲ	—	
	11	2 450	Ⅳ	化学需氧量	
	12	1 370	Ⅳ	化学需氧量	
2004	1	650	Ⅳ	化学需氧量、氨氮	
	2	500	Ⅲ	—	

交综合车场3处、公交枢纽型首末站3处。

规划中给水系统采用分质供水，统一供应生活用水、直饮水及中水(绿地浇灌、道路浇洒等)，并建立给水管网调度中心，配备自动供水调度系统。龙子湖地区的排水体制采取雨水、污水分流制。规划建设4个排涝泵站。根据新区规划面积、人口，规划设置120座一类公厕；商业大街每40 m、一般道路每90 m设一果皮箱；规划设置40个垃圾收集房。

龙子湖位于B区。湖外围主要是大学园区，拟建11所大学。规模最小的大学人数约0.5万人，建筑面积12万m^2；规模最大的大学人数约1.5万人，建筑面积45万m^2；每个大学的基本参数都有详细列表。

2.2 污水处理规划

龙子湖地区(包括A、B、C、D区)规划总人口35万，生活污水排放量为10.37万m^3/d。目前区域内有一座污水处理厂，处理规模为40万m^3/d，远期规模80万m^3/d，污水经二级处理后排入河道，规划区内现无污水管网。远期规划将建设三级污水处理设施，修建3条污水管网，污水全部排入污水处理厂进行处理，将处理后的水作为中水，一部分用于绿地浇灌、道路浇洒、冲洗车辆等。区内企事业单位的生活污水及工业废水，凡含有重金属、病菌等污染严重的有害物质，必须先自行处理，达到国家规定的污水排放标准后，方可排入污水管道。

2.3 雨水工程规划

龙子湖B区汇水面积为830 hm^2，外围地势低洼，规划区内考虑除涝。排水系统采用直排与强排相结合的方式。为了利用雨水资源，结合道路规划，沿路设溢流管道，将内环路以内地表雨水径流排至龙子湖，内环路以外的大学园区的雨水径流不入龙子湖。区内规划两个雨水泵站，分别位于东、西两侧。西侧泵站汇水面积3.3 km^2，泵站规模3.5 m^3/s；东侧泵站汇水面积6.9 km^2，泵站规模11.4 m^3/s。

2.4 水质保护目标

根据龙子湖水体的功能定位及《地表水环境质量标准》(GB3838—2002)的要求，确定湖水水质标准为地表水Ⅳ类水质。由于龙子湖位于大学园区中心，综合考虑水环境保护条件和相关工程建设的可能，龙子湖水体水质争取达到地表水Ⅲ类水质标准。因此，水质保护目标被确定为“确保Ⅳ类水，力争Ⅲ类水”。

2.5 水生生态工程

为实现“水清、景美、生态环境健康发展”的目标，预防水环境污染，龙子湖工程规划设计了水生生态工程，内容包括湖滨生态系统(缓冲带绿地生态系统)、湿地净化系统和湖泊水生生态系统等。其中，在湖岸绿地、景观明渠和湖岛上拟布置15 hm^2的人工湿地；模拟自然的水生生态系统，根据水生植物的生长水深要求，规划设计湖滨带，种植水生植物，放养水生动物；并设立专门的生态工程管理机构。

3 未来污染源判断

运行期间的龙子湖并非一个封闭水域，其运行依靠人工调控。湖水有进有出，水体中的污染物会随水体流动流入或流出湖泊；此外，湖周边也将存在排污现象。因此，龙子湖污染源预测应在考虑通过各种途径进入或流出湖的污染物后，预测进入湖的净污染物量。

根据工程分析，龙子湖拟采用的补水方式有：①运行初期，拟抽取部分浅层地下水进行补给；②远期，将主要依靠黄河水补给；③考虑将内环路以内区域的雨水径流引入湖；此外，湖面降雨也是一种补给来源。因此，通过上述几种补水方式，污染物也将随水体进入湖内。

龙子湖运行期间，计划与周边大学园区的水系相连，并向这些校园提供水系的补水(单向流动，高校水系水流不流回龙子湖)，因而，通过向大学园区供给的这部分补水，一部分污染物将随之流出龙子湖；此外，根据规划，龙子湖内拟建湿地工程以净化水质，净化后的水量返回龙子湖循环使用。因此，通过湿地工程减少的污染物将被计算为排出龙子湖的污染物量。

根据规划，在龙子湖B区内拟建11座大学校园，在未来10～15年内将完全城市化。城市化后将不可避免地给湖泊带来一些污染物质，根据对北京市区河湖的实地调查，城市化地区污染源种类繁多，来源及构成非常复杂，污染物的多少完全取决于城市基础设施的建设情况及环境综合管理的水平，具有高度的不确定性。因此，这部分排污(种类、数量)预测是一项无法准确的事情，与其说是“预测”不如说是“评估”，评估的数据在人们认知的合理范围内就是目标。笔者根据工程分析及其现状调查，基于北京市区河湖污染源特点的调查经验和认识，对未来龙子湖地区的排污情况进行了如下的分析判断：

(1)生活污水。大学园区学生、教职工及区内其他企事业单位的生活用水，因为办公楼、教学楼、宿舍楼等永久性建筑将铺设污水收集管道，将污水排入污水处理厂，不会影响龙子湖水质。

(2)城市垃圾。主要是大学园区的日常生活、办公垃圾，一般情况下临时集中堆放在垃圾收集箱，在大雨冲刷下，会有少量进入水体。

(3)旅游污染。包括旅客随意向湖内丢弃的垃圾，湖周餐饮、船舶等旅游服务设施排入龙子湖及雨水口的污水等。根据对大量旅游景点的观察，发现随着社会的进步，人类举止越来越文明，游客向水中随意投垃圾的现象越来越少，一般不会对水质产生大的影响；游船采用燃气的环保船，污染影响不大；主要是餐饮业的排污弃污不易控制，对水质造成一些影响。

(4)建筑施工污染。龙子湖周围规划区各种建筑物建设期间，将有大量的施工人员，会产生大量的施工污水和垃圾。这个时期又是市政管理缺乏的时期，很容易发生弃污现象。

(5)其他污染。通过大风扬尘落入湖中的污染物；环湖设置了许多公共厕所，清洁人员为了方便向水体偷偷倾倒垃圾、粪便、污水的现象在城市比较常见，主要是城市管理方面的问题；落叶、垃圾等被风吹入湖中等；此外，将来在该区域内肯定会有一些小企业，一般来说，企业偷排污水也是常见污染源。

根据经验，城市水系大致有以上几种污染源，至于孰多孰少，要看城市综合管理水平。一个卫生设施完善、管理严格、街面干净、有专门执法队伍检查、有专门水质保洁人员的城市，人为污染源就少得多，反之人为污染就较严重。

4　预测阶段划分

在龙子湖运行期的不同阶段，拟采用的引水及对高校供水的方案不同，水环境保护措施也有所不同，同时龙子湖B区即将开发，其不同时期的环境特征也有所不同，污染源也会有较大的变化，因此龙子湖在运行期间的污染源预测应分阶段进行。考虑以上问题，设计单位提出了三个运行阶段，每个阶段的水量进出及水环境保护措施条件如下。

4.1　阶段一

近期(2010年)，即运行初期。湖体的污染源平衡预测需考虑如下因素：

- 抽取浅层地下水作为龙子湖水源补给；
- 龙子湖水量补给不考虑地区内的雨水利用，即龙子湖周边地区的雨水径流不入湖；
- 高校还未建成，龙子湖不向高校水系供水；
- 龙子湖周围已经建成湿地，利用湿地对湖水进行循环水质净化。

4.2 阶段二

近期(2020 年)，龙子湖已运行一段时间，对湖体的污染源预测需考虑如下因素：

- 拟抽取部分浅层地下水补给龙子湖水量；
- 湖周边区域已基本建成，水量补给考虑雨水利用，即雨水径流入湖；
- 高校基本建成，湖泊向高校水系供水；
- 龙子湖利用周边湿地进行循环水质净化。

4.3 阶段三

远期(2030 年)，湖泊已运行较长时间，新区已完全城市化，污染源预测需考虑如下因素：

- 主要引黄河水补给；
- 不再抽取浅层地下水补给湖体水量；
- 湖体水量补给考虑龙子湖地区的雨水利用；
- 龙子湖向高校水系供水；
- 龙子湖内利用湿地净化水质并循环使用水资源。

各种阶段中，龙子湖的污染物进入和排出途径见表2。每年各月水量进出数据采用设计单位提供的龙子湖水资源平衡计算结果(详细不再罗列)。

通过对以上三个阶段的污染源预测，可以为工程建设规划提供技术支撑，使得在长期建设过程中的水环境保护措施更科学、更合理。

5 预测方法

如前所述，运行期间的龙子湖并非一个封闭水域，受人工调控，湖水常年有流入和流出，水体中的污染物也将随各种途径流入或流出龙

表 2　各种情景下龙子湖的污染物进出途径一览

阶段	龙子湖污染物进出途径	
	污染物进入	污染物排出
阶段一 (2010 年)	◆ 浅层地下水； ◆ 湖面直接降雨； ◆ 旅游污染； ◆ 建筑施工污染； ◆ 其他排污	◆ 湿地净化； ◆ 湖体渗漏
阶段二 (2020 年)	◆ 浅层地下水； ◆ 湖面直接降雨； ◆ 雨水径流污染； ◆ 旅游污染； ◆ 建筑施工污染； ◆ 其他排污	◆ 湿地净化； ◆ 湖体渗漏； ◆ 向高校水系供水
阶段三 (2030 年)	◆ 黄河引水； ◆ 湖面直接降雨； ◆ 雨水径流污染； ◆ 旅游污染； ◆ 其他排污	◆ 湿地净化； ◆ 湖体渗漏； ◆ 向高校水系供水

子湖。因此，龙子湖污染源预测，应在考虑通过各种途径进入或流出龙子湖的污染物后，预测进入龙子湖的净污染物量。

污染物进入湖泊的途径主要包括补水(近期的浅层地下水、远期的黄河水、湖面降雨、周边的雨水径流)、排污(旅游污染、建筑施工污染、人为弃污)。污染物排出湖的途径主要包括湖水渗漏、向高校供水、湿地净化(水量循环使用)。由于排出湖的污染物量取决于排出时湖水体中的污染物浓度，而龙子湖水质随受污染物排入、排出及污染物在湖体中的净化反应等影响而不断变化，因此龙子湖污染物的进出估算实际上是一种动态模拟。

本课题对龙子湖的污染物净入湖量采用如下方法计算：以龙子湖蓄满水为初始时刻，此时的污染物浓度(即蓄水水质)为水体初始浓度，以月为时间单位，通过分别计算污染物排入总量和排出总量，反复迭代计算得到龙子湖每月的净污染物排入量(或排出量)。计算中，由每月初的水体污染物浓度，计算得到污染物排出量，进而得到每月的污染物净排入(或排出)量，并换算得到全湖平均浓度，作为本月末的污染物浓度，并以此作为下月初的污染物浓度，进行反复迭代计算。换算全湖平均浓度时，只计算污染物排入和排出量，不考虑污染物的降解作用，目的是了解污染物经过各种途径排入或排出龙子湖后，最终在龙子湖中是富积还是削减，即污染物排入和排出作用孰强孰弱的问题。但实际上，水体存在着一定的降解作用，由于降解作用是降低污染物浓度，相当于污染物排出，因此上述方法计算出来的湖水水质是偏保守的。

考虑到龙子湖近期和远期的运行时段不同，对近期情况(阶段一、阶段二)预测了5年内龙子湖水体污染物浓度的变化情况；对远期情况预测了10年的水质变化。因为三个阶段水环境预测的方法相同，在本书中，只将远期情况的预测结果进行说明。此外，根据现状水质评价结果，龙子湖未来引水水源及周边水系的主要污染物为BOD_5、COD、TN、TP、NH_3–N，因此选取此5种污染物为代表进行预测。

6 污染源预测

这里主要介绍阶段三的预测。

6.1 污染物排入量

6.1.1 黄河引水污染物

在第三阶段(远期)，龙子湖主要依靠黄河水补给。根据黄河水质监测结果及长期保护目标，未来引水水质有很大的不确定性，鉴于此，对引水水质按三种情景进行了预测。①较优情况：黄河水环境保护措施实施较好，引水能满足地表水Ⅲ类标准。②中等情况：黄河水质有所恶化，引水为Ⅳ类水。③较差情况：黄河水质恶化，引水为Ⅴ类水。基于以上三种情况，分别预测了通过引水进入龙子湖的污染物量，见表3、表4、表5。

表3 通过引黄河水进入龙子湖的日污染负荷估算(阶段三，水质为Ⅲ类)

项目		污染物(kg/d)					引黄水量(万 m^3)
		BOD_5	COD	NH_3—N	TN	TP	
月平均值	1月	67.25	336.23	16.81	16.81	0.84	50.43
	2月	65.90	329.52	16.48	16.48	0.82	49.43
	3月	95.43	477.16	23.86	23.86	1.19	71.57
	4月	96.06	480.29	24.01	24.01	1.20	72.04
	5月	96.17	480.85	24.04	24.04	1.20	72.13
	6月	139.61	698.05	34.90	34.90	1.75	104.71
	7月	49.70	248.50	12.42	12.42	0.62	37.27
	8月	58.20	291.00	14.55	14.55	0.73	43.65
	9月	111.49	557.44	27.87	27.87	1.39	83.62
	10月	93.95	469.73	23.49	23.49	1.17	70.46
	11月	85.63	428.15	21.41	21.41	1.07	64.22
	12月	91.53	457.65	22.88	22.88	1.14	68.65
年平均值		86.38	431.88	21.59	21.59	1.08	总 788.18
引水污染物浓度(mg/L)		4	20	1	1	0.05	—

表4 通过引黄河水进入龙子湖的日污染负荷估算(阶段三，水质为Ⅳ类)

项目		污染物(kg/d)					引黄水量(万 m^3)
		BOD_5	COD	NH_3—N	TN	TP	
月平均值	1月	100.87	504.34	25.22	25.22	1.68	50.43
	2月	98.86	494.29	24.71	24.71	1.65	49.43
	3月	143.15	715.74	35.79	35.79	2.39	71.57
	4月	144.09	720.44	36.02	36.02	2.40	72.04
	5月	144.26	721.28	36.06	36.06	2.40	72.13
	6月	209.41	1 047.07	52.35	52.35	3.49	104.71
	7月	74.55	372.75	18.64	18.64	1.24	37.27
	8月	87.30	436.50	21.83	21.83	1.46	43.65
	9月	167.23	836.16	41.81	41.81	2.79	83.62
	10月	140.92	704.59	35.23	35.23	2.35	70.46
	11月	128.44	642.22	32.11	32.11	2.14	64.22
	12月	137.29	686.47	34.32	34.32	2.29	68.65
年平均值		129.56	647.82	32.39	32.39	2.16	总 788.18
引水污染物浓度(mg/L)		6	30	1.5	1.5	0.1	—

表5 通过引黄河水进入龙子湖的日污染负荷估算(阶段三，水质为Ⅴ类)

项目		污染物(kg/d)					引黄水量(万 m^3)
		BOD_5	COD	NH_3-N	TN	TP	
月平均值	1月	168.11	672.46	33.62	33.62	3.36	50.43
	2月	164.76	659.05	32.95	32.95	3.30	49.43
	3月	238.58	954.32	47.72	47.72	4.77	71.57
	4月	240.15	960.59	48.03	48.03	4.80	72.04
	5月	240.43	961.71	48.09	48.09	4.81	72.13
	6月	349.02	1 396.10	69.80	69.80	6.98	104.71
	7月	124.25	497.00	24.85	24.85	2.48	37.27
	8月	145.50	582.00	29.10	29.10	2.91	43.65
	9月	278.72	1 114.88	55.74	55.74	5.57	83.62
	10月	234.86	939.45	46.97	46.97	4.70	70.46
	11月	214.07	856.30	42.81	42.81	4.28	64.22
	12月	228.82	915.30	45.76	45.76	4.58	68.65
年平均值		215.94	863.76	43.19	43.19	4.32	总788.18
引水污染物浓度(mg/L)		10	40	2	2	0.2	—

6.1.2 湖面降雨污染

天然雨水中污染物含量较低。雨滴在降落过程中虽受大气中杂质的污染，但据历年监测数据得知天然雨水的COD为20～60 mg/L，SS<10 mg/L，因此天然雨水落地之前仅受轻微污染。例如，北京市天然雨水水质的监测结果，氨氮、总氮、总磷均为未检出，COD含量为每升几十毫克左右，南京雨水中COD含量为2 mg/L。参考之，龙子湖雨水水质中的COD、BOD_5按地表水Ⅲ类标准限值考虑，NH_3-N、TN、TP按Ⅱ类标准限值考虑，此种取值是偏安全的。

S市属于暖温带大陆性季风气候，降水量年内分配不均，最少的是1月份，最多的是7月份。降水量集中于夏季，占全年总雨量的45%～60%。多年平均降水量约634 mm，多年平均7月份降水量占全年降水量的23%，6、7、8、9月降水量合计占全年降水量的64%(见图8)，全年降水量主要集中在6～9月份。根据湖面面积及降雨量，计算得到龙子湖的湖面降水污染负荷，见表6。

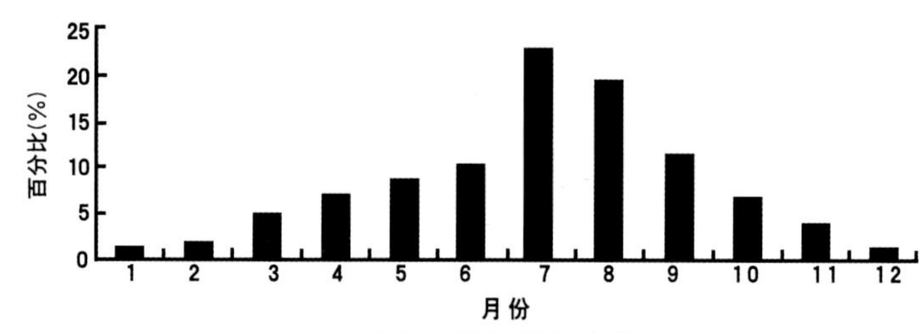

图8 降雨量年内分配图

6.1.3 旅游污染

根据对北京市六海的污染调查，餐饮服务排放的废水是最主要的污染源，游客丢弃的垃圾等较少。由于餐厅一般邻街或邻湖，业主为节省排污费或贪图方便，往往偷偷将废水直接向雨水口或湖体倾倒，这部分排放量一般可占其排放总量的10%～20%。

表6 龙子湖湖面降水日污染负荷估算(阶段三)

项目		污染物(kg/d)					湖面直接降雨量(万 m^3)
		BOD_5	COD	NH_3-N	TN	TP	
月平均值	1月	1.32	6.58	0.16	0.16	0.03	1.02
	2月	2.04	10.21	0.26	0.26	0.05	1.48
	3月	4.87	24.34	0.61	0.61	0.12	3.53
	4月	7.19	35.93	0.90	0.90	0.18	5.39
	5月	8.37	41.87	1.05	1.05	0.21	6.49
	6月	10.47	52.33	1.31	1.31	0.26	7.85
	7月	22.53	112.65	2.82	2.82	0.56	17.46
	8月	18.90	94.52	2.36	2.36	0.47	14.65
	9月	11.64	58.20	1.46	1.46	0.29	8.73
	10月	6.61	33.03	0.83	0.83	0.17	5.12
	11月	4.35	21.73	0.54	0.54	0.11	3.26
	12月	1.41	7.03	0.18	0.18	0.04	1.09
年平均值		8.34	41.69	1.04	1.04	0.21	总76.08
引水污染物浓度(mg/L)		4	20	0.5	0.5	0.1	—

据可行性研究报告的预测，工程建成后，每年预计接纳游客100万人次，冬季11、12、1、2月的游客人数相对偏少。因此，冬季4个

月份月游客人次按5万考虑，其他月份人次按10万考虑。游客人均餐饮用水量参照《龙子湖水资源保护及运行方式研究综合报告》取40 L/d，污水排放按用水量的85%计，餐饮排放废水的污染物浓度参考了相关文献，估算得到龙子湖餐饮旅游废水排放量。废水中入湖的那部分，按保守估计，取排放量的20%，由此计算得到龙子湖入湖污染负荷(日排放量)，包括各月平均值和全年平均值，见表7。

表7　旅游日污染负荷入湖量估算(阶段三)

项目		污染物(kg/d)					旅游污水入湖量(万 m^3)
		BOD_5	COD	NH_3—N	TN	TP	
月平均值	1月	0.6	5.7	0.1	0.2	0.03	0.03
	2月	0.6	5.7	0.1	0.2	0.03	0.03
	3月	1.1	11.3	0.2	0.5	0.1	0.07
	4月	1.1	11.3	0.2	0.5	0.1	0.07
	5月	1.1	11.3	0.2	0.5	0.1	0.07
	6月	1.1	11.3	0.2	0.5	0.1	0.07
	7月	1.1	11.3	0.2	0.5	0.1	0.07
	8月	1.1	11.3	0.2	0.5	0.1	0.07
	9月	1.1	11.3	0.2	0.5	0.1	0.07
	10月	1.1	11.3	0.2	0.5	0.1	0.07
	11月	0.6	5.7	0.1	0.2	0.03	0.03
	12月	0.6	5.7	0.1	0.2	0.03	0.03
年平均值		0.9	9.3	0.2	0.4	0.1	总0.68
污水污染物浓度(mg/L)		50	500	9	20	3	—

6.1.4　其他排污

其他污染包括在大风扬尘下被吹入湖体的垃圾、树叶等腐烂产生的污染物，不可预计的突发性污染事件，环卫工人缺乏素质、偷懒而将垃圾车及抽粪车中的污染物偷偷倾倒入湖内，及区域内部分居民直接将污水向湖体或雨水口倾倒等。由于此部分污染没有规律，排放量很大程度上取决于城市管理水平及居民的环境保护意识，难以预测。

对于老城区，平房居民较多，加上城市环境管理力度不够的情况下，人为弃污量较大；对于新城区来说，由于建筑物基本为楼房，其环卫体系一般也较健全，因此人为弃污量会大大减少。根据北京市的情况及龙子湖区域的规划情况，此部分污染物量按区域内生活污水量的0.5%考虑，即相当于未来龙子湖B区规划人口14.17万中有710人左右的生活污水量排入龙子湖。根据龙子湖地区的功能区划，湖外围周边是环湖绿化带，与生活排污地区相距较远，其人为弃污地段可能主要集中在面积较小、人口较少的中心岛，弃污可能主要来自于餐饮业、宾馆等服务行业。因此，弃污量不会太大，按0.5%考虑应该是偏保守的。

龙子湖外围的大学园区主要以生活用水为主，综合生活用水量采用262 L/（人·d)(平均日)，日变化系数取1.2，最高日综合生活用水量标准为315 L/（人·d)，本区总人口14.17万，预测综合生活用水量为4.5万t/d。污水量按用水量的85%计，则生活污水总量为3.79万m^3/d。据此预测得到龙子湖人为弃污量，结果见表8。

表8　龙子湖其他污染负荷估算(阶段三)

污染物	污染物排放量(kg/d)
BOD_5	37.94
COD	75.88
NH_3-N	4.74
TN	5.69
TP	1.52

6.1.5　雨水径流污染

龙子湖拟利用雨水径流作为补水方式之一，此时，湖周边地区已城市化，不透水的地面面积迅速增加将使雨水径流量也随之增加，同时城市地表的污染物质也将随雨水径流流入湖而造成污染。据统计，北京和上海等城市的城区雨水径流污染占水体污染负荷的10%左右，因此雨水径流污染也是龙子湖污染源预测的重要内容。入湖的径流量包括中心岛雨水径流和环湖绿化带雨水径流，其各月径流量由设计单位经水资源平衡计算而得，确定两种雨水径流中的污染物浓度是关键。

由于城市内土地利用方式及人类活动方式非常多样，受此影响，城市径流水质也是一个复杂的问题。目前为止，国内外对城市雨水径流水质问题有过一些研究，比如美国、德国、日本、法国等国家在20年前就进行了研究，这些研究成果见之于一些科技期刊上的论文。近6年来，我国的一些城市也对城市雨水径流水质进行了一些研究，比如，北京、上海、西安等，对马路径流、屋顶径流等进行了一些监测。本课题对雨水径流水质的研究进行了简要归纳，并在此基础上，对龙子湖的雨水径流水质进行了预测。

造成雨水径流污染的主要原因有以下几个方面：

(1)雨水在降落过程中混合了空气中的尘埃及污染物；

(2)雨水在路面、屋顶、场地、绿地、沟坡等地方的淋溶及流淌冲刷过程中融合了各种尘土、杂质、垃圾、油类等污染物；

(3)雨水汇集后流入路旁排水暗沟，冲刷沟道内沉积的垃圾等污染，将其挟带入河湖。

对于城市径流而言，其污染物主要有以下几类：

(1)悬浮物。来源于尘埃、交通工具产生的废弃物、大气干湿沉降、轮胎和刹车摩擦产生的物质、烟囱释放出的烟尘等，重点排放区在工业区、商业区以及公路和建筑工地等。

(2)耗氧物质。来源于生活垃圾、废污水、树叶、草以及各类废弃物等。这些物质腐烂时，会消耗水体中大量的氧气。

(3)细菌。一般城市径流中细菌的含量都超过公众对水要求的健康标准。径流中粪便大肠杆菌的数量要比游泳健康标准高出20～40倍。细菌主要来源于下水道溢流、宠物及城市中的野生生物等。

(4)有毒污染物。包括重金属、杀虫剂、多氯联苯、多环芳烃等。重金属是城市径流中一种最典型的有毒污染物，其首要来源是机动车。杀虫剂、多氯联苯、多环芳烃等，主要来源于草地、菜地施用农药，机动车辆排放的废气及大气的干湿沉降等。

(5)营养物质。磷的化合物一般吸附在颗粒物上，氮的化学形态是可溶解的，主要来源于绿地化肥的施用。

根据目前国内外的监测成果，城市径流中的主要污染物质是COD，在不同的条件下，径流水质状况差异很大(浓度相差数百倍)，我国城市径流水质比欧美国家普遍差一些。由于雨水径流污染来自分散的大面积区域，它与城市的自然状况和降雨过程密切相关，雨水径流污染也具有较大的随机性、偶然性和广泛性，污染负荷随时空变化幅度很大。

一般来说，城市雨水径流按污染程度可分为主要街道、小区场院、建筑物屋顶、绿地4种类型。

街道马路主要以车辆、行人为主要活动，径流污染程度最重，主要污染源是路面的沉积物、行人丢弃的垃圾、车辆排放物，还有路旁雨水沟内沉积的杂质、污物等，雨水污染物浓度与降雨量及路面污染物累积状况密切相关。影响城市路面径流污染的因素包括降雨强度、降雨量、降雨历时；人流密度、交通流量、车型构成；道路周围的土地利用及与地理环境特征相关的非道路污染源；路面清扫、维护状况等。其中，降雨强度决定着淋洗路面污染物的能量大小，降雨量决定着稀释污染物的水量，降雨历时决定着污染物在降雨期间累积于路面时间的长短；交通流量及车型构成决定着与汽车交通相关污染物的类型及排放量，并影响着与之相伴的路面磨损残留污量；与道路周围土地利用及地理环境特征相关的非道路活动决定着非道路污染源在路面的沉积状况；路面清扫的频率及效果影响着晴天时在路面累积的污染物量。

小区场院以生活污染为主，但也有车辆污染，根据实测，其污染程度比主要街道马路要低一些，主要与管理有关。

建筑物屋顶污染物一种是来自大气的沉降物，由于无法清扫，主要由雨水带走。此外，屋面防水材料析出物也是主要污染物之一。例如，过去北京市建筑物顶部许多采用沥青毡作为防水材料，老化的油毡经高温日晒，析出相当量的有机物溶入径流，造成屋面径流COD较高，影响屋面径流水质的还有降雨量、降雨频率、气温、日照强度等。建筑物屋顶污染物由于来源有限，从全年的平均雨水水质来看，其水质优于马路和场院。

根据实测，一般情况下草坪等绿地对雨水有净化作用，径流水质较好。

由于地表质地不同，产流量差别很大，在街道、屋顶、场院等硬化表面上，降雨开始后立即就形成径流，将污染物冲走，降雨量的绝大多数都形成径流；在平坦的草坪上，一般降雨条件下均下渗，难以产生径流，在暴雨或连续阴雨天、土壤水分达到饱和的情况下才会有径流流出，降雨量的一小部分形成径流排走。

雨水径流的水质与季节、降雨频率关系最大。在我国华北地区，每年的冬季(11月～翌年3月)降雨量很少，难以形成具有冲刷力的径流，在房顶、死角、路旁排水暗沟内积累的尘土、垃圾等较多。当夏季来临时，第一场较强的降雨径流冲走了长期积累的污染物，因而水质最差。在降雨频率高、降雨量大的夏季(6～8月)，径流水质较好。

据北京市对路面水质的监测，在一个完整的降雨过程中，最初的几毫米降雨形成的径流中挟带了此场雨径流的COD总量的大部分，污染物含量是整个产流过程中最高的，随后浓度将逐渐降低并趋于稳定值。如果这场降雨距上一次降雨时间间隔较长，则本次降雨径流水质较差。

城市雨水径流污染物浓度。根据实测结果，街道马路、小区场院、建筑物屋顶、绿地4种类型的土地产生的径流，其水质状况差别较大。

表9是北京市雨水径流的水质参数，是一年中多场降雨实测的平

表9　北京市区各场雨水径流水质平均数值

(单位：mg/L)

土地利用类型	COD	BOD_5	TP	TN
天然雨水	43			
沥青屋顶	328		0.94	9.8
瓦屋顶	123			
马路	582		1.74	11.2

均值。可见，天然雨水的 COD 为 43 mg/L，沥青屋顶雨水 COD 为 328 mg/L，瓦屋顶雨水 COD 为 123 mg/L，马路 COD 为 582 mg/L。此数据为北京建工学院所测，选点处的污染状况是否有代表性，并没有说明。另外，还收集到了清华大学一篇关于北京城市雨水径流利用的论文，里面较为简要地论述了北京雨水径流水质的情况，天然雨水、屋面径流、草地径流的水质能达到Ⅰ~Ⅱ类水(GB3838—83)的标准，只是马路水质较差。显然，清华大学的论述和建工学院的监测有天壤之别，一个非常好，一个则特别差，二者的不同说明了在不同采样背景条件下的巨大差别。但是，清华大学的文章并没有说明数据来自何处，以及是在什么条件下测的。

表10为西安市马路雨水径流的水质参数，在马路的一个固定点测了春天的两场降雨（COD 为 317~362 mg/L）。

表 10 西安市区马路雨水径流水质(1999 年监测)

(单位：mg/L)

土地利用类型	COD	BOD_5	TP	TN
马路	317~362	55~65		

表 11 和表 12 为美国、加拿大的城市径流水质。加拿大的数据范围太大，不能说明问题。美国的数据是城市综合径流水质数据，是在多个城市、多地点、长时间监测的平均数据，因而在美国具有普遍性和代表性。

表 11 加拿大、美国综合雨水径流水质

(单位：mg/L)

国家	COD	BOD_5	TP	TN
加拿大	7~2 200		0.01~7.3	0.07~16
美国	65	9	0.33	

表 12 美国不同土地利用类型的径流污染物平均浓度

(单位：mg/L)

土地利用类型	居民区	商业区	工业区	公路
TN	2.2	2.0	3.0	2.5
TP	0.4	0.2	0.5	0.4
COD_{Cr}	35~163			124

表13为法国、德国城市不同地面的径流水质，法国街道COD为131 mg/L，庭院为95 mg/L，屋顶为31 mg/L；德国街道COD为87 mg/L，屋顶为47 mg/L。

表13　法国、德国不同土地利用类型的雨水径流水质

（单位：mg/L）

土地利用类型	COD	BOD_5	TP	TN
法国屋顶	31	4		
法国庭院	95	17		
法国街道	131	36		
德国屋顶	47		0.2	
德国街道	87		0.55	

从以上研究数据来看，显然欧美的城市径流水质要优于我国城市，这是因为城市卫生管理水平不同，降雨条件也不同。北京、西安的水质数据都是在一种特定地点下监测的，可以说，具有一定的代表性，也具有一定的特殊性。因此，在采用这些成果时，必须具体问题具体分析，进行合理判断。

龙子湖的雨水径流污染物浓度取值。如前所述，国内外有关城市径流的水质监测数据差别很大，特别是国内的数据，只在个别地点监测了少数几场雨。因此，在径流污染物浓度的取值上，不能简单地取用哪一家的数据，而是根据总体情况进行分析判断，确定一个比较合理的数据作为龙子湖地区的预测。

显然，国内城市地表状况、年均降水量、大气质量等各方面与北京、西安更接近，因此在确定数据时，以北京、西安的数据为基础，适当考虑国外的数据，选取一个略偏保守的值，这样比较有利于湖泊水质保护措施的设计。龙子湖地区的雨水径流污染物平均浓度取值见表14。丰水期径流中的污染物浓度取值适当降低。

表14　龙子湖雨水径流污染物平均浓度取值一览

（单位：mg/L）

土地类型	BOD_5	COD	NH_3–N	TN	TP
天然雨水		43.0	0.8		
草坪绿地	10.0	60.0	1.5	4	0.1
建筑屋顶	15.0	150.0	2.0	5	0.2
庭院	25.0	200.0	3.0	6	0.3
街道马路	60.0	400.0	5.0	8	0.4

对于环湖绿化带的雨水径流，其污染物浓度可采用草坪绿地的浓度值。对于中心岛，由于岛内的土地利用类型并不单一，因此还需要根据各种土地利用类型的比例进行换算，得到中心岛雨水径流污染物的平均浓度。换算时，需考虑不同土地利用类型的径流系数。

中心岛雨水径流污染物平均浓度采用如下公式计算：

$$\sum_{i=4}^{i} R \times S_i \times f \times C_i = \left(\sum_{i=4}^{i} R \times S_i \times f\right) \times \overline{C}$$

$$\overline{C} = \frac{\sum_{i=4}^{i} R \times S_i \times f \times C_i}{\sum_{i=4}^{i} R \times S_i \times f}$$

式中　$\overline{C}$——中心岛雨水径流污染物平均浓度，mg/L；

R——多年平均降雨量，mm；

S_i——中心岛各种土地利用类型的面积，km^2；

f——中心岛各种土地利用类型的径流系数；

C_i——中心岛各种土地利用类型的雨水径流的污染物浓度，mg/L；

i——中心岛的土地利用类型数。

中心岛各种土地利用类型的面积见表15，径流系数见表16。

据此，计算得到中心岛的雨水径流污染物平均浓度，见表17。

表15　两大区域中4个地表类型的面积一览

(单位：万 m^2)

区域	各类土地利用类型				总面积
	绿地	建筑用地	庭院、场地	交通干道	
中心岛	26.4	19.8	19.8	30	96

表16　各种地表类型的径流系数取值

地表类型	径流系数	说 明
草坪绿地	枯水期：0.0 平水期：0.1 丰水期：0.2 大暴雨：0.5	草坪绿地有很强的储留、下渗能力，降雨量不大时很难有径流流出，在雨水较多的季节才会有少部分雨水形成径流
建筑物屋顶	0.9	现代建筑物顶基本都为水泥、瓷砖铺设，不透水，下雨后立即形成径流
庭院场地	0.7	硬化的院内道路、硬结土地、运动场地等，综合起来有一定透水性
街道	0.9	一般为柏油马路或混凝土路面，不透水，下雨后立即形成径流
城市综合	0.6	

表17　中心岛雨水径流污染物平均浓度

(单位：mg/L)

水期	月份	BOD_5	COD	NH_3-N	TN	TP
枯水期	1、2、12月	38.07	276.84	3.62	6.62	0.32
平水期	3、4、5、10、11月	36.86	267.50	3.53	6.50	0.31
丰水期	6、7、8、9月	35.75	258.94	3.44	6.40	0.30

根据以上预测的雨水径流污染物浓度和提供的雨水径流量，计算得出龙子湖环湖绿化带和中心岛的雨水径流污染量，并将之相加得到流入龙子湖的雨水径流污染物的总量。结果见表18。

表18　龙子湖雨水径流污染物总量(阶段三)

(单位：kg/d)

项目		污染物（kg/d）					雨水径流量（万 m^3）
		BOD_5	COD	NH_3-N	TN	TP	
月平均值	1月	6.49	46.84	0.63	1.19	0.05	0.57
	2月	9.40	67.85	0.91	1.72	0.08	0.83
	3月	21.75	156.71	2.13	4.05	0.18	1.97
	4月	33.20	239.19	3.25	6.18	0.28	3.01
	5月	39.99	288.10	3.92	7.44	0.34	3.63
	6月	46.99	337.76	4.63	8.87	0.39	4.39
	7月	104.48	751.03	10.30	19.72	0.88	9.76
	8月	87.64	630.02	8.64	16.54	0.74	8.19
	9月	52.25	375.57	5.15	9.86	0.44	4.88
	10月	31.51	227.02	3.09	5.86	0.26	2.86
	11月	20.09	144.76	1.97	3.74	0.17	1.82
	12月	6.94	50.10	0.68	1.27	0.06	0.61
年平均值		38.39	276.25	3.78	7.20	0.32	总42.52

6.2　污染物排出

污染物将通过渗漏、湿地净化、向高校供水三种途径排出湖。

6.2.1　渗漏

通过渗漏排出龙子湖的污染物量可由以下公式计算：湖体污染物浓度×渗漏水量。渗漏水量为龙子湖水资源平衡计算提供的数据。

6.2.2　湿地净化

根据规划，龙子湖水域内将建设湿地工程，净化循环使用水资源。参考龙子湖工程可行性研究报告的水生生态系统设计研究专题的研究结果，工程拟采用的湿地处理工艺对BOD_5、COD、TN、NH_3-N、TP的祛除率分别可达70%、70%、50%、50%、75%。由于湿地净化的水量将返还湖体循环使用，因此通过湿地净化排出龙子湖的污染物量可由以下公式计算：湖体污染物浓度×净化水量×祛除率。人工湿地的净化水量为龙子湖水资源平衡计算提供的数据。据此，预测得到龙子湖人工湿地净化的污染物量，此部分为排出龙子湖的污染物量。

6.2.3 向高校供水

龙子湖运行期间，向周边的高校水系供水。由于供水为单向流动，高校水系水流不流回龙子湖，因此随这部分供水流出龙子湖的污染物为排出龙子湖的污染物量。通过向高校供水排出的污染物量由以下公式计算：湖体污染物浓度×供水量。供水量为可研究设计中水资源平衡计算提供的数据。

6.3 污染物净排入

龙子湖中各主要污染物的初始浓度取引黄河水的浓度。由于引水水质按3种情况考虑，污染物的进出平衡计算也将分3种情形给出。本书只给出第一种情况下(引水为Ⅲ类水)的计算结果，见表19～表23。

表19 龙子湖 BOD_5 进出量预测结果(引水为Ⅲ类水)

月份	排入总量(kg/d)	排出总量(kg/d)	净排入量(kg/d)	月初浓度(mg/L)	月末浓度(mg/L)
1月	113.57	61.44	+52.14	4.00	4.02
2月	115.86	59.72	+56.14	4.02	4.04
3月	161.13	88.08	+73.05	4.04	4.06
4月	175.53	145.21	+30.32	4.06	4.07
5月	183.62	141.35	+42.26	4.07	4.08
6月	236.15	280.81	−44.66	4.08	4.07
7月	215.79	282.49	−66.69	4.07	4.05
8月	203.83	282.41	−78.58	4.05	4.02
9月	214.46	287.21	−72.75	4.02	4.00
10月	171.15	149.32	+21.83	4.00	4.00
11月	148.58	147.94	+0.65	4.00	4.00
12月	138.39	85.42	+52.98	4.00	4.02

注：表19～表23“+”表示污染物排入总量多于排出总量；“−”表示污染物排入总量少于排出总量。

表20　龙子湖COD进出量预测结果(引水为Ⅲ类水)

月份	排入总量(kg/d)	排出总量(kg/d)	净排入量(kg/d)	月初浓度(mg/L)	月末浓度(mg/L)
1月	471.25	307.18	+164.07	20.00	20.05
2月	489.18	298.11	+191.07	20.05	20.12
3月	745.41	439.04	+306.37	20.12	20.22
4月	842.61	723.12	+119.49	20.22	20.26
5月	898.02	703.56	+194.46	20.26	20.33
6月	1 175.34	1 397.32	−221.98	20.33	20.25
7月	1 199.38	1 405.66	−206.28	20.25	20.18
8月	1 102.74	1 408.20	−305.46	20.18	20.08
9月	1 078.41	1 434.20	−355.79	20.08	19.96
10月	816.98	745.73	+71.25	19.96	19.99
11月	676.24	738.35	−62.11	19.99	19.97
12月	596.38	425.85	+170.53	19.97	20.02

表21　龙子湖NH_3—N进出量预测结果(引水为Ⅲ类水)

月份	排入总量(kg/d)	排出总量(kg/d)	净排入量(kg/d)	月初浓度(mg/L)	月末浓度(mg/L)
1月	22.45	15.36	+7.09	1.00	1.00
2月	22.50	14.90	+7.60	1.00	1.00
3月	31.55	21.93	+9.62	1.00	1.01
4月	33.11	31.82	+1.29	1.01	1.01
5月	33.96	30.80	+3.16	1.01	1.01
6月	45.79	58.28	−12.49	1.01	1.01
7月	30.49	54.19	−23.70	1.01	1.00
8月	30.50	54.55	−24.05	1.00	0.99
9月	39.43	58.38	−18.95	0.99	0.98
10月	32.36	32.50	−0.14	0.98	0.98
11月	28.77	31.68	−2.91	0.98	0.98
12月	28.59	20.95	+7.64	0.98	0.98

表22 龙子湖TN进出量预测结果(引水为Ⅲ类水)

月份	排入总量(kg/d)	排出总量(kg/d)	净排入量(kg/d)	月初浓度(mg/L)	月末浓度(mg/L)
1月	24.06	15.36	+8.70	1.00	1.00
2月	24.36	14.91	+9.45	1.00	1.00
3月	34.72	21.95	+12.77	1.01	1.01
4月	37.29	31.89	+5.40	1.01	1.01
5月	38.73	30.90	+7.83	1.01	1.01
6月	51.28	58.58	−7.30	1.01	1.01
7月	41.16	54.56	−13.40	1.01	1.01
8月	39.65	55.11	−15.46	1.01	1.01
9月	45.39	59.15	−13.76	1.00	1.00
10月	36.38	32.99	+3.39	1.00	1.00
11月	31.59	32.20	−0.61	1.00	1.00
12月	30.23	21.31	+8.92	1.00	1.00

表23 龙子湖TP进出量预测结果(引水为Ⅲ类水)

月份	排入总量(kg/d)	排出总量(kg/d)	净排入量(kg/d)	月初浓度(mg/L)	月末浓度(mg/L)
1月	2.40	0.77	+1.63	0.05	0.05
2月	2.40	0.75	+1.65	0.05	0.05
3月	2.91	1.12	+1.79	0.05	0.05
4月	2.98	1.90	+1.08	0.05	0.05
5月	3.01	1.86	+1.15	0.05	0.05
6月	3.61	3.75	−0.14	0.05	0.05
7月	2.78	3.84	−1.06	0.05	0.05
8月	2.80	3.83	−1.03	0.05	0.05
9月	3.28	3.85	−0.57	0.05	0.05
10月	2.94	1.98	+0.96	0.05	0.05
11月	2.71	1.98	+0.73	0.05	0.05
12月	2.71	1.11	+1.60	0.05	0.05

6.4 湖泊水质变化

基于前述污染物进出平衡计算结果，利用迭代法对龙子湖运行10年期间的污染物浓度进行了计算，结果见表24，10年间的变化趋势见图9～图13。可见，除了TP有缓慢的上升趋势以外，其他指标都没有上升趋势。本研究中对引水水质的3种情况(Ⅲ、Ⅳ、Ⅴ类水)进行了计算，通过比较发现，后两种情况(Ⅳ、Ⅴ类水)的TP没有累积上升趋势，这表明TP不会超过Ⅳ水。通过湿地净化、渗漏、向高校供水等作用，基本可将排入龙子湖的各类污染物排出湖体，使其浓度下降或持平，水质不会持续恶化。

表24 龙子湖运行10年期间主要污染物的浓度预测值 (单位：mg/L)

年份		BOD_5	COD	NH_3-N	TN	TP
第1年		4.04	20.12	1.00	1.01	0.05
第2年		4.06	20.14	0.98	1.01	0.05
第3年		4.07	20.16	0.97	1.01	0.06
第4年		4.09	20.17	0.96	1.01	0.06
第5年		4.10	20.18	0.95	1.01	0.06
第6年		4.11	20.19	0.94	1.01	0.06
第7年		4.12	20.20	0.93	1.01	0.06
第8年		4.13	20.21	0.93	1.01	0.06
第9年		4.13	20.21	0.92	1.02	0.06
第10年		4.14	20.22	0.92	1.02	0.06
地表水水质标准(GB3838—2002)	Ⅰ	3	15	0.15	0.2	0.01
	Ⅱ	3	15	0.5	0.5	0.025
	Ⅲ	4	20	1	1	0.05
	Ⅳ	6	30	1.5	1.5	0.1
	Ⅴ	10	40	2	2	0.2

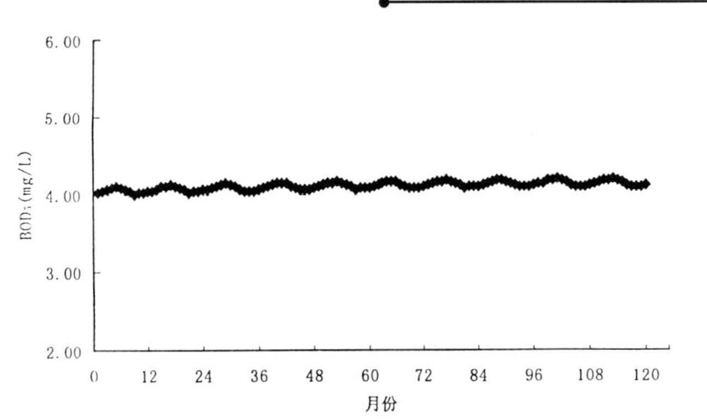

图9　BOD_5 在10年期间的变化过程线

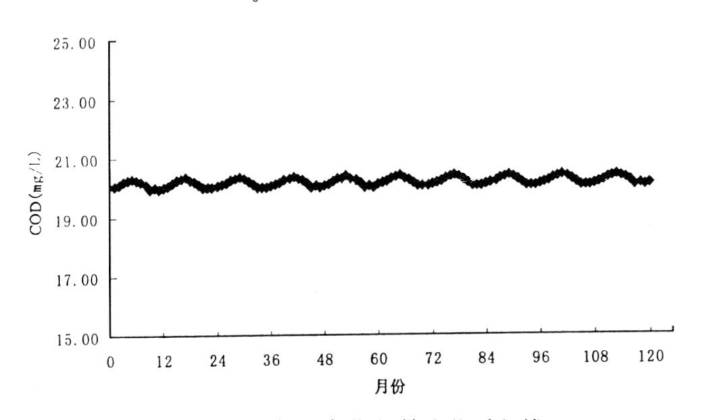

图10　COD在10年期间的变化过程线

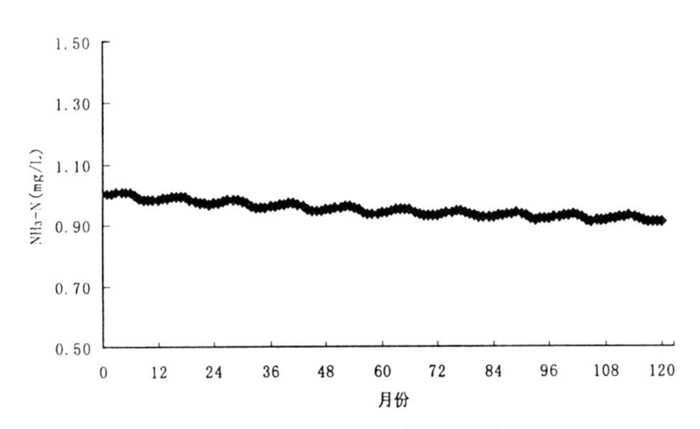

图11　NH_3–N在10年期间的变化过程线

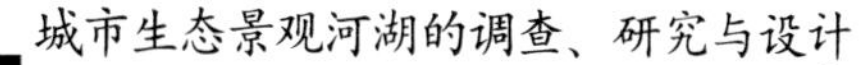

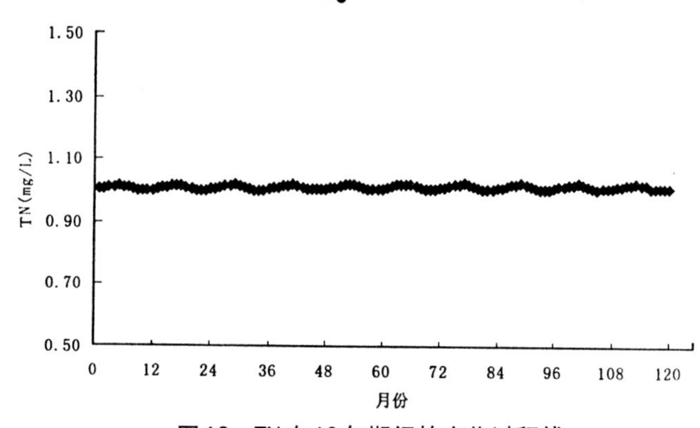

图12　TN在10年期间的变化过程线

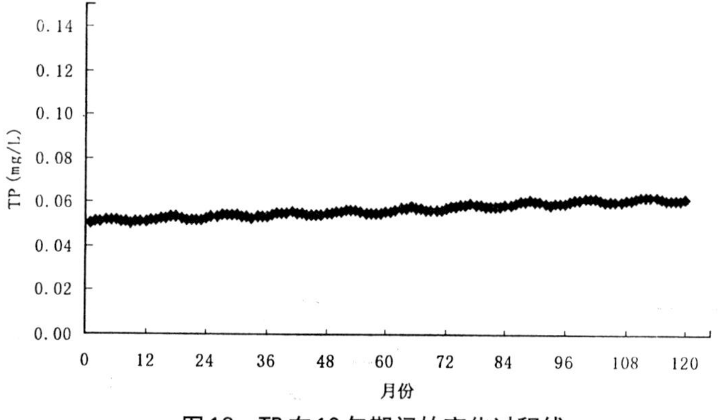

图13　TP在10年期间的变化过程线

7　小　结

本节通过龙子湖的污染源预测实例(只是列举其中一部分内容)，说明了在城市河湖设计中要考虑的污染问题相当复杂，尽管计算方法并不复杂，但是含有诸多的不定因素，需要很多的经验判断。要搞好这项工作，需要在大量的实际工作中积累经验和资料，只有这样，才能对诸多的不定因素做出比较合理的判断。此外，预测的结果不能理解为是一种精确数据，但是可以说明各类污染物发展的趋势，为设计中做出正确的保护措施提供科学依据。

第四节　水体流动及水质演变的数值模拟

本章第三节的污染源预测中对龙子湖的水质演变进行了迭代计算，计算的数据是全湖的平均值。但由于龙子湖是由7大片水域组成的，实际上水质参数在不同的水域及不同的时刻有相当大的差别。此外，湖内水体是流动的，流速分布在不同的地点差别也很大，一句话，就是各参数在湖内空间和时间上是有分布的。在湖泊设计中，为了进行工程布局及引水量配置的优化，有必要了解各参数的时空动态分布。要解决这个问题，就必须利用数值模拟手段。数值模拟是一项专门技术，属于流体力学或水力学专业，用于模拟水环境问题的又称“环境水力学”。数值模拟也有很多方法和模式，要根据不同的研究对象采用不同的方法。

在龙子湖的设计中，笔者应用了数值模拟手段对湖内的流速、引水布置方案、水质演变等进行了模拟预测，在此选出一部分内容进行介绍。

1　数学模型及计算方法

1.1　数学模型

数学模型及计算方法的种类繁多，要根据具体研究对象选取合适的模型和方法。龙子湖水深较浅(最大水深约为3 m，平均水深不足2 m)，平面尺度远远大于水深，其水流运动采用垂向平均的二维不定常浅水环流方程组描述最适宜。本研究所采用了成熟的数学模型、计算方法及计算程序，控制方程如下。

连续方程

$$\frac{\partial \xi}{\partial t}+\frac{\partial (Hu)}{\partial x}+\frac{\partial (Hv)}{\partial y}=0$$

动量方程分为 x 方向及 y 方向：

x 方向

$$\frac{\partial u}{\partial t}+u\frac{\partial u}{\partial x}+v\frac{\partial u}{\partial y}+g\frac{\partial \xi}{\partial x}-fv=\frac{1}{H}\frac{\partial}{\partial x}\left(HE\frac{\partial u}{\partial x}\right)+\frac{1}{H}\frac{\partial}{\partial y}\left(HE\frac{\partial u}{\partial y}\right)-\frac{\tau_{bx}}{\rho H}+\frac{\tau_{sx}}{\rho H}$$

y 方向

$$\frac{\partial v}{\partial t}+u\frac{\partial v}{\partial x}+v\frac{\partial v}{\partial y}+g\frac{\partial \xi}{\partial y}+fu=\frac{1}{H}\frac{\partial}{\partial x}\left(HE\frac{\partial v}{\partial x}\right)+\frac{1}{H}\frac{\partial}{\partial y}\left(HE\frac{\partial v}{\partial y}\right)-\frac{\tau_{by}}{\rho H}+\frac{\tau_{sy}}{\rho H}$$

物质传输方程：

$$\frac{\partial(Hs)}{\partial t}+\frac{\partial(Hus)}{\partial x}+\frac{\partial(Hvs)}{\partial y}=\frac{\partial}{\partial x}\left(HD\frac{\partial s}{\partial x}\right)+\frac{\partial}{\partial y}\left(HD\frac{\partial s}{\partial y}\right)-S_eH$$

式中　u、v ——沿 x、y 方向的垂向平均流速；

t——时间变量；

H—— 水深，$H=h+\xi$，h 为基准面以下水深，ξ 为水位；

S_e—— 源项；

D——浓度扩散系数；

τ_{bx}、τ_{by}——x、y 方向的底部阻力；

τ_{sx}、τ_{sy}——x、y 方向的表面风应力。

$$\tau_{sx}=\rho_a C^* W_x\sqrt{W_x^2+W_y^2}$$

$$\tau_{sy}=\rho_a C^* W_y\sqrt{W_x^2+W_y^2}$$

式中　W_x、W_y ——x、y 方向的风速；

ρ_a——空气密度；

C^*—— 水气界面上的运动阻力系数；

E——广义黏性系数；

ρ——水密度；

g——重力加速度；

f——柯氏力项系数；

s—— 污染物浓度。

本研究中需要对 COD(作为典型水质指标)、总磷(作为富营养化分析的重要指标)的变化过程进行计算。考虑到 COD 易于降解，总磷不易降解的特性，采用的方程如下。

COD控制方程：

$$\frac{DS}{Dt}=-K_{COD}S$$

式中　K_{COD}——COD的降解系数。

一般来讲，有机污染物的生化反应过程十分复杂，K_{COD}是各种因素的综合体现。该系数受到水流条件和温度条件的影响，其取值变幅较大，而且必须利用当地水文水质监测数据进行率定和验证。由于目前无法用实测数据进行分析，龙湖水系的水环境计算研究中对此问题进行了探讨，参考龙湖水系的处理方法，按较不利条件考虑，K_{COD}的20℃取值为0.004(1/d)，水温影响修正公式如下：

$$K_{COD}=K_{COD}\times 1.047^{(T-20)}$$

总磷生化项也十分复杂，在水质模型中，通常考虑底泥释放、磷沉降等过程。

总磷控制方程：

$$\frac{DS}{Dt}=S_P-K_pS$$

式中　K_p——磷沉降速率；

S_p——底泥磷释放速率。

磷的释放、沉降是一个物理变化过程，时间长了会形成一个平衡，水域内的总量并未发生变化。在龙子湖的计算中，不考虑总磷的释放、磷沉降等过程。

1.2　计算方法

将计算水域分割成大量正方形计算网格，每一个网格称之为一个单元。网格中心称之为节点，网格边框称为通道。在节点处计算水位、物质浓度；在通道处计算流速、流量。求解动量方程时对流项使用迎风格式，扩散项采用中心差分格式；对连续方程与物质输运方程都采取控制体积法进行计算。考虑到龙子湖水域的形态特点及尺度，考虑到数值计算技术的特点及计算时间等问题，采用均匀正方形网格将整个龙子湖覆盖，网格尺寸为20 m × 20 m。网格总数为3 168，数值模拟网格划分图见图 14 。

在计算中需要确定初始条件、边界条件、扩散系数等，对于计算技术人员来说，这些都属于常规性的问题，在此不再介绍。

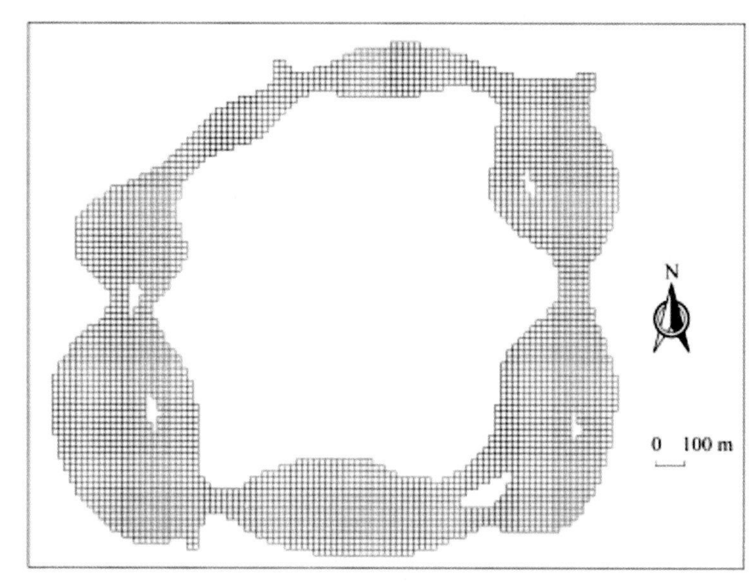

图 14 龙子湖数值模拟网格划分图

2 计算目的及内容

(1)计算研究龙子湖两个引水口与一个出水口之间两条流路的分流比，探讨其规律性；

(2)优化流量分配方案，使流态及水体置换均衡，有利于保护水质；

(3)在水量引入时，计算湖泊流速分布及水体置换率分布情况；

(4)计算分析风对湖内流态的影响；

(5)优化引水流量在季节上的合理分配，在水资源供给总量一定的情况下，合理分配引水流量在季节上的变化，以利于抑制富营养化的发生；

(6)计算预测水质分布情况，预测水质分布及变化；

(7)计算预测水域富营养化情况；

(8)计算研究水体最大允许污染负荷，为水环境保护提供依据。

这里只介绍部分内容。

3　进出水口布置、引水流量、计算分区及设计参数

3.1　进、出水口布置方案

设计方案中拟设两处引水口(见图15)、一处退水口，引水口上游与输水渠道相连，从黄河引水。通过调节两个引水口的流量，可以使湖内水体置换速率更均衡，防止出现大面积死水区，在夏季有利于及时更换水体，控制富营养化的发生。

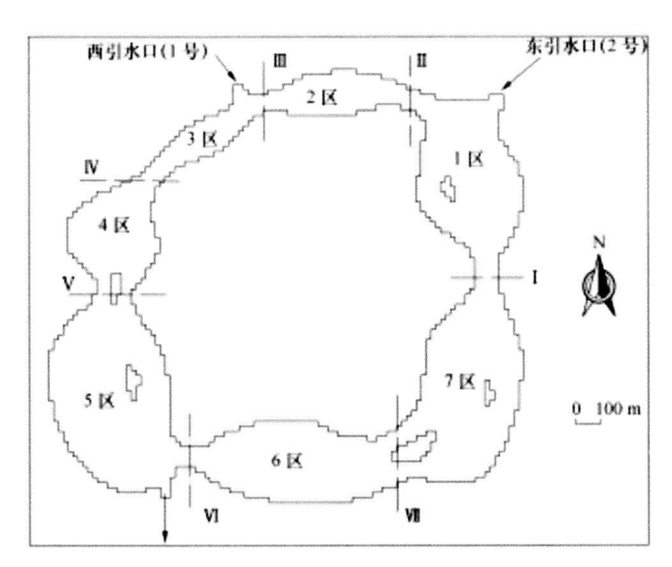

图15　龙子湖进、出水口布置及数值模拟分区、控制断面设置

3.2　引水流量

计算时，作为输入条件之一，需要给定一个适宜的引水流量。龙子湖在正常水位下的容积为260万m^3，根据这一容积，如果引水流量

太小则水体更替时间很长、更换效率低，不利于水质控制；如果流量太大，则引水工程投资大，造成浪费。研究者根据经验认为流量控制在1.5～2.5 m^3/s范围内是比较适宜的，计算中主要以2.5 m^3/s为主。引水量1倍水体(简称一个周期)所用的时间约为12天。根据规划，龙子湖全年用水指标限制在6倍水体，也就是说全年可以进行6个引水周期。

3.3 计算分区及设计参数

龙子湖形态成环状布置，若干开阔水面由“细口”连成一串，水流从入口至出口分为东、西两条流路。根据这种特点，计算中将湖区划分为7个区域，在每个“细口”处设1个控制断面(共7个)。湖区划分及控制断面位置、编号如图19所示。

对于一个湖泊设计方案，一些参数(如面积、体积)非常重要，由于形态十分复杂，用普通方法估算出来误差很大(达20%～30%)，用计算程序能快速、精确的计算出来(误差在5%以内)。计算出的龙子湖各项指标列于表25，全湖水面面积约1.27 km^2，容积约为261.3万m^3。

表25　龙子湖计算分区面积和体积(按正常水位高程82.5 m计)

项目	1区	2区	3区	4区	5区	6区	7区	全湖
面积(m^2)	218 400	73 600	68 400	120 400	308 400	209 200	268 800	1 267 200
体积(m^3)	470 281	156 841	124 561	265 481	611 721	448 361	535 481	2 612 727

4　计算工况设计

本项计算中变动因子很多，主要有引水总流量、东西两个引水口流量比、引水口开启时间等，每个因子都有无限多的选择，这些都是计算输入参数，盲目计算会劳而无功。因此，需要组合起有限个合理的参数组合，作为计算分析的对象，每一个组合称之为一个“工况”，在此基础上，才能分析出合理的方案。根据本研究的目的，对于流场及水体置换率(以后说明)问题，在进行了大量摸索性计算的基础上进行了认真分析，最后确定了3个工况(Ⅰ、Ⅱ、Ⅲ)11个组合，作为研究工作展开的线索。各工况的编号、内容见表26。

表26 计算工况组合一览

工况序号	引水流量（m³/s）分配		开启时间		出湖流量
	西引水口（1号）	东引水口（2号）	西引水口（1号）	东引水口（2号）	
Ⅰ-1	2.5	0	0～12天	—	出湖流量与引水流量相等
Ⅰ-2	0	2.5	—	0～12天	
Ⅰ-3	1.5	0	0～12天	—	
Ⅰ-4	0	1.5	—	0～12天	
Ⅱ-1	1/3×2.5	2/3×2.5	0～12天	0～12天	
Ⅱ-2	1/2×2.5	1/2×2.5	0～12天	0～12天	
Ⅱ-3	2/3×2.5	1/3×2.5	0～12天	0～12天	
Ⅲ-1	1/2×2.5	1/2×2.5	3～15天	0～12天	
Ⅲ-2	1/2×2.5	1/2×2.5	0～12天	3～15天	
Ⅲ-3	1/3×2.5	2/3×2.5	3～15天	0～12天	
Ⅲ-4	1/3×2.5	2/3×2.5	0～12天	3～15天	

4.1 工况Ⅰ(1～4)

工况Ⅰ下分为4个组合，表示了东、西两个入水口单独引水流量分别为2.5 m³/s 、1.5 m³/s时的情况。进行该项计算的目的是为了搞清楚湖泊流动及水流置换率的基本情况，对湖泊的水流基本特性进行了解，为以后的计算研究任务奠定基础。

4.2 工况Ⅱ(1～3)

工况Ⅱ下分为3个组合，在引水总流量不变、两个入水口同时引水的条件下，按两口流量不同的分配比例进行计算。计算目的主要是研究水流置换率均衡情况，优化水量比例分配方案，并发现问题，为下一步配水过程的优化奠定基础。

4.3 工况Ⅲ(1～4)

工况Ⅲ下分为4个组合，在两个入水口流量采用上述优化分配比例的前提下，按入水口启动的先后顺序进行组合。计算目的是优化配水过程，确定引水方案。

5　流速分布及分流比计算

因为龙子湖形态设计成为环状，不管如何引水，从入口到出口，水流都会分为东、西两路流动。对几种基本工况下的流场分布及两条流路的分流比进行了计算。

工况Ⅰ-1(西口单独引水，Q_1=2.5 m³/s)下的流场分布如图16所示，流动分两路流向出水口，西路流速约0.24 cm/s，东路流速约0.14 cm/s。各工况的分流比计算值列于表27，工况Ⅰ-1下，西路流量占总流量的65.8%、东路流量占总流量的34.2%。

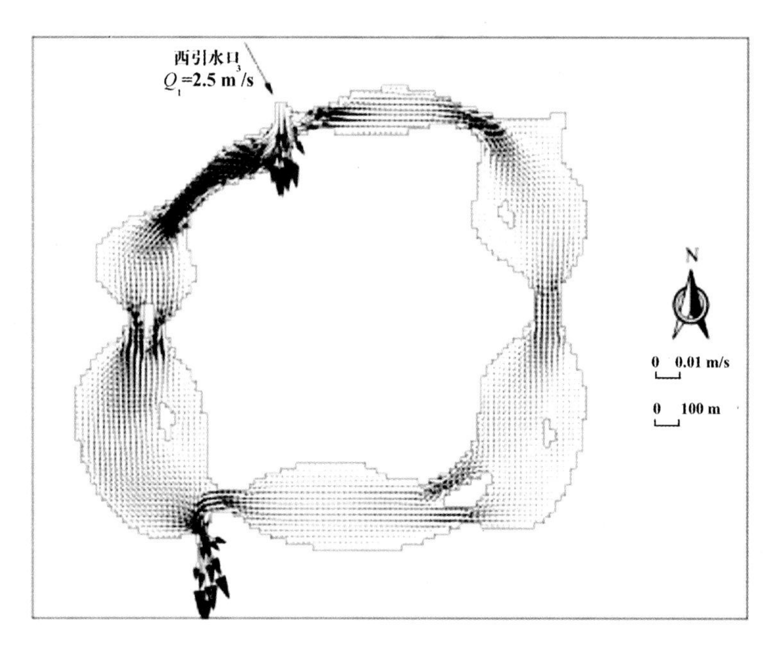

图16　工况Ⅰ-1(西口单独引水，Q_1=2.5 m³/s)下的流场分布

表27 工况Ⅰ的断面流量

工况序号	分流流量(m^3/s)		分流比(%)	
	西支	东支	西支	东支
Ⅰ-1	1.645	0.855	65.8	34.2
Ⅰ-2	0.880	1.620	35.2	64.8
Ⅰ-3	0.987	0.513	65.8	34.2
Ⅰ-4	0.529	0.971	35.3	64.7

工况Ⅰ-2(东口单独引水，Q_2=2.5 m^3/s)下的流场分布如图17所示，在入口处形成一个回流，西路流速约0.12 cm/s，东路流速0.27 cm/s左右。西路流量占总流量的35.2%，东路占64.8%。

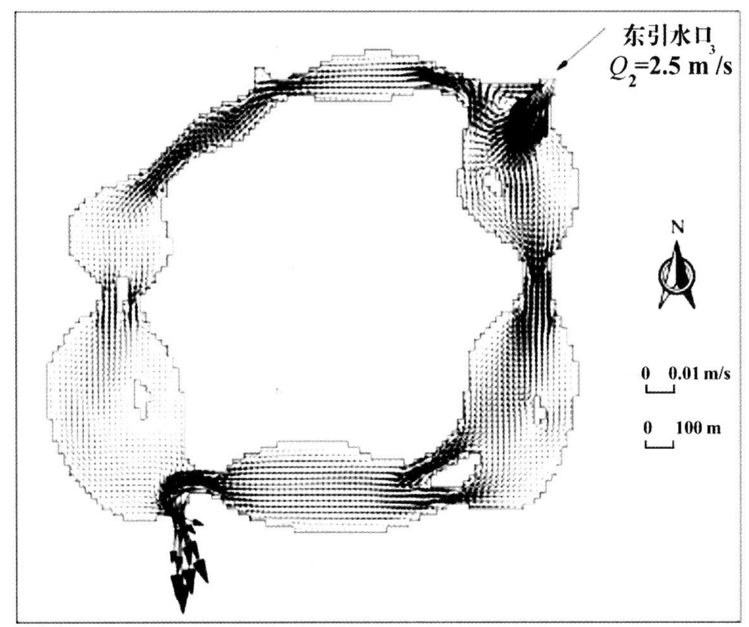

图17 工况Ⅰ-2(东口单独引水，Q_2=2.5 m^3/s)下的流场分布

工况Ⅰ-3(西口单独引水，Q_1=1.5 m^3/s)引水方式与工况Ⅰ-1相同，只是流量不同。该工况下流场图案及流量比都与工况Ⅰ-1相同。工况Ⅰ-4(东口单独引水，Q_2=1.5 m^3/s)引水方式与工况Ⅰ-2相同，流

场图案及流量比都与工况Ⅰ–1相同。

通过对以上4种工况的计算分析就找到了一些规律，即东、西两路的分流比只与两个引水口的流量比有关，与总流量大小关系不大。了解这个特性对于以后的计算研究及设计都是很重要的，避免了盲目性。

工况Ⅱ是两个入水口同时引水的情况，在总流量控制不变的前提下，根据东、西两口的引流比例不同又划分为3组，各组的引流比例设定如下：工况Ⅱ–1，西口流量为1/3Q，东口流量为2/3Q；工况Ⅱ–2，西口流量为1/2Q，东口流量为1/2Q；工况Ⅱ–3，西口流量为2/3Q，东口流量为1/3Q。对以上3组的流场进行了计算，这里只给出工况Ⅱ–1的流场(见图18)。从流速分布特点来看，两个入水口之间的水域(2区)流速很小，对于水体交换不利。

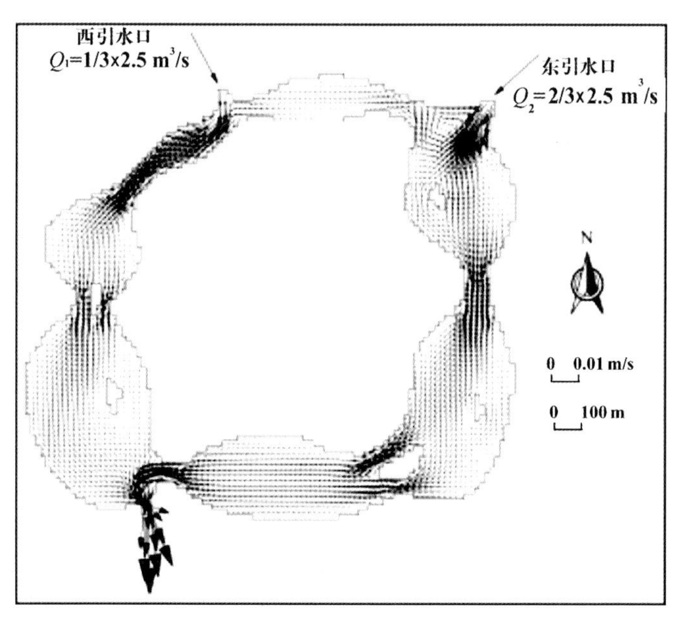

图18 工况Ⅱ–1的流场分布(西口流量为1/3Q，东口流量为2/3Q)

计算分流比得，工况Ⅱ-1，西路流量占45.5%，东路流量占54.5%，两个入水口之间的水域(2区)向西流(流量0.3 m^3/s)；工况Ⅱ-2，西路流量占48.4%，东路流量占51.6%，两个入水口之间的水域(2区)向东流(流量0.04 m^3/s)；工况Ⅱ-3，西路流量占52.4%，东路流量占47.6%，两个入水口之间的水域(2区)向东流(流量0.36 m^3/s)。通过以上计算分析了解到，各种情况下的分流比还比较均衡，只是两引水口之间的水域水体交换比较困难。因此，下一步的目标也已明确，就是在保持流量均衡的条件下，使得中间区域的水体能够得到有效替换。

6 水体置换率计算

在设计中设想了这么一种情况，就是湖泊中的水已经变差，比如发生了严重的富营养化，需要引入清水把原来的旧水排走，而且由于水资源使用总量给与了限制，一次换水的量只能是湖泊容积的一倍。因为水流是要发生混合的，在相当大的水域内，新水旧水混在一起，不同的方案会使旧水排走的量不同。要想从这个角度优化设计方案，必须进行数值模拟，进行结果比较后方可得出优劣。

6.1 水体置换率的定义

为了数值模拟水体交换现象，引入“置换率”的概念。考虑一个水域(整个湖泊、部分水域或一个计算网格)，当引水时，在对流扩散作用下，新旧水体发生混合，一部分新水流入这个水域，部分旧水(原来存在于该水域的水)则流出这个水域，在某一个时刻，新水会占有一定的比率，这个比率定义为置换率。假定旧水含有一种污染物，浓度为1(是一个虚拟量，可以想像为是盐度)，新水浓度为0。初始时刻龙子湖均为旧水(盐度为1)，外部引水均为新水(盐度为0)。数值模拟水体交换过程，会计算出浓度分布场，这个“浓度”数值就是旧水所占的比例，1减去这个数值就是“置换率”。目前这个概念尚无学术上的严格定义，但这个方法用于工程方案优化则是没问题的。以上这种模拟水体交换的计算方法已在工程中应用的较多。另外，计算出的“浓度”实际上是一个比例，是一个无量纲的数据，与新水、旧水的浓度给定值大小无关，这点已在类似工程的计算中得到验证。

6.2 水体置换率的具体运用

对工况Ⅰ-1～工况Ⅰ-4的浓度分布进行了计算模拟，选了一个有代表性的分布图，见图19。可见，工况Ⅰ-1两路浓度推进速度不均衡，实际上工况Ⅰ-1～工况Ⅰ-4都无法实现均衡。工况Ⅰ引水量为1倍水体时置换率的统计结果见表28。

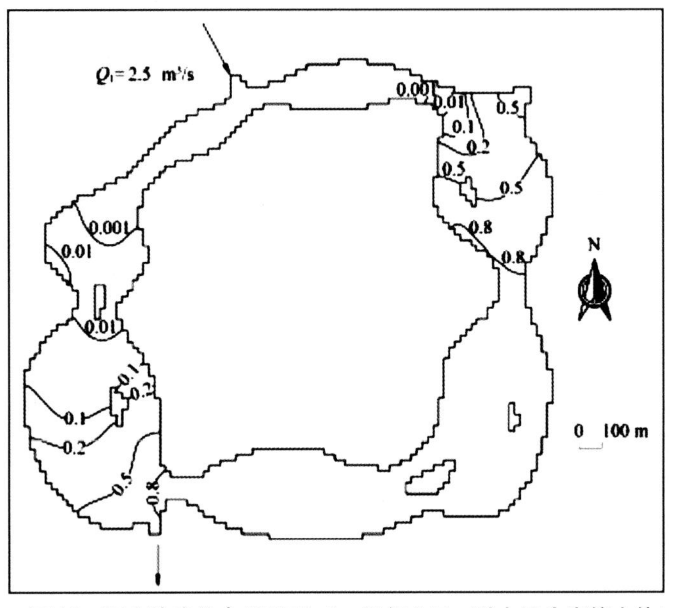

图19 旧水浓度分布(工况Ⅰ-1，运行6天，引水量为半倍水体)

表28 工况Ⅰ引水量为1倍水体时龙子湖各区及全湖平均浓度

(%)

工况序号	总流量(m³/s)	引水时间(天)	1区	2区	3区	4区	5区	6区	7区	全湖平均
Ⅰ-1	2.5	12	8.0	0.0	0.0	0.0	5.0	94.7	53.2	29.8
Ⅰ-2	2.5	12	0.0	0.0	0.0	3.2	50.6	6.9	0.7	13.5
Ⅰ-3	1.5	20	8.6	0.0	0.0	0.0	5.6	93.2	53.8	29.9
Ⅰ-4	1.5	20	0.0	0.0	0.0	4.3	49.4	8.3	0.9	13.6

从表28全湖平均浓度数值来看，工况Ⅰ-1、Ⅰ-3约为30%，工况Ⅰ-2、Ⅰ-4约13.5%，置换率比前两个工况高16.5%。因此，不管是从均衡性还是从全湖总体置换率来看，工况Ⅰ-2、Ⅰ-4都优于工况Ⅰ-1、Ⅰ-3；还可以看出，引水口位置对各区及全湖置换率的影响很大。而同一排放口单独排放，流量大小对置换率影响相对不大。不管怎样，单口引水无法实现均衡换水。因此，设计上要选用两个引水口的方案。

工况Ⅱ是两个引水口同时引水的情况，两个引水口的流量比例设计了3种不同的情况(总流量控制在2.5 m^3/s不变)，比例见表26。对以上方案进行了计算模拟，目的就是探索最佳配水方案，结果见表29。

表29　工况Ⅱ引水量为1倍水体时龙子湖各区及全湖平均浓度

(%)

工况序号	总流量(m^3/s)	引水时间(天)	1区	2区	3区	4区	5区	6区	7区	全湖平均
Ⅱ-1	2.5	12	0.1	5.7	6.1	10.8	27.9	13.2	3.3	12.9
Ⅱ-2	2.5	12	6.8	63.4	2.5	1.1	9.0	36.5	10.8	15.8
Ⅱ-3	2.5	12	5.7	0.8	0.0	0.0	6.9	58.9	26.2	18.2

从表29的数据比较来看，工况Ⅱ-1总体置换率最高(达到87%)，而且各区换水均衡性好一些；工况Ⅱ-2和工况Ⅱ-3不均衡性较突出，总体置换率较Ⅱ-1低。工况Ⅱ-1优于工况Ⅱ-2和Ⅱ-3，但依然存在不均衡的问题。

为了寻求一个置换既均衡、总体置换率又高的引水方案，设计了工况Ⅲ-1～Ⅲ-4，并对其置换过程进行了数值计算。工况Ⅲ依然是两个口引水，总结分析了前面的计算成果，流量比例采用了两组数据。为了让2区不发生死水，考虑让一个引水口先行引水3天(根据前面的计算确定的)，之后让另一个引水口引水(两个水口同时引水)，先引口提前3天关闭，后引口在引水总量达到1倍水体时关闭。工况组合情况见表26。选择了一个代表性的图(见图20)。工况Ⅲ-3两路推进速度则比较均衡。结果见表30，从表中可看出，工况Ⅲ-3总体置换率最高(接近90%)，东西两路进展比较均衡，相对于其他各工况来讲，占明显的优势。因此，选择Ⅲ－3作为引水方案是最优的。在后面的水质演化计算中采用该方案进行。

表30　工况Ⅲ引水量为1倍水体时龙子湖各区及全湖平均浓度

(%)

工况序号	总流量(m^3/s)	引水时间(天)	1区	2区	3区	4区	5区	6区	7区	全湖平均
Ⅲ－1	2.5	15	17.2	18.0	0.0	0.7	10.7	29.9	6.4	13.2
Ⅲ－2	2.5	15	1.9	16.0	23.5	1.3	10.6	47.8	13.3	16.0
Ⅲ－3	2.5	15	0.4	3.3	0.1	4.1	24.7	20.9	2.7	10.6
Ⅲ－4	2.5	15	0.1	1.3	12.5	17.1	24.5	29.4	4.6	14.1

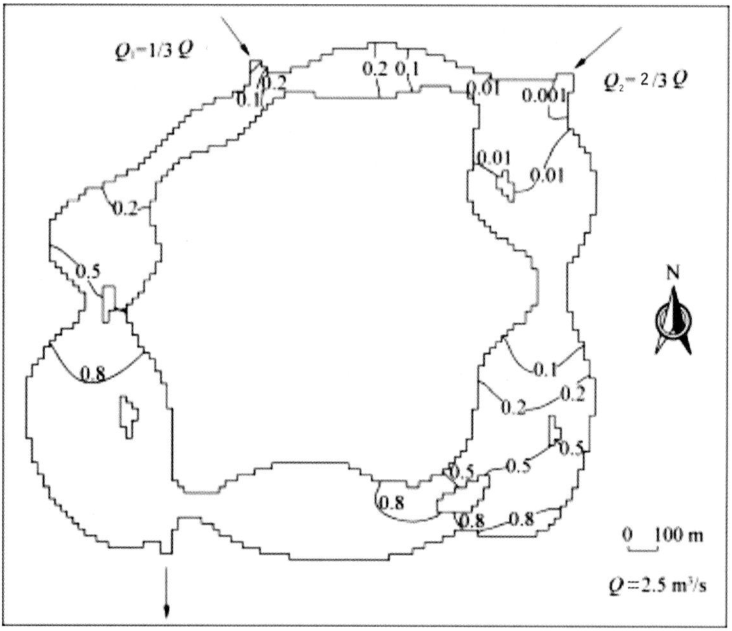

图20　旧水浓度分布(工况Ⅲ－3，运行7天，引水量为半倍水体)

7 龙子湖水质演化计算

基于上文的污染源调查及预测结果，选取高锰酸盐指数作为有机污染物的代表，对龙子湖水质演化进行了计算模拟。

7.1 水质演化预测内容

污染物进入湖体后，会发生一系列的物理、化学、生物变化，其变化过程受限于湖体自身的运行特性。湖体的引水量、东西引水口的流量分配、引水时间、频率等将影响湖体流场，从而影响污染物浓度在时间和空间上的分布。此外，易降解污染物(如COD)，在水体中可发生生物自净作用，因此水体滞留时间也决定了湖体中污染物的浓度。

前面从水体置换的角度，选择了能够维持最佳水流循环运动、实现水体高效置换的合理的、经济的引水方案，确定了东西两个引水口最佳引水量及流量分配。从防治湖体发生富营养化的角度，确定了湖体引水在季节安排上的优化方案。在上述选定的引水方案下，水体中的污染物在时间、空间上怎样变化？湖体运行一定时间后的水质状况如何？掌握这些规律是实施湖体水环境保护工作的基础和依据。只有对湖体运行方式下的水质变化作定量化预测分析，才能有针对性地提出水污染控制对策，采取有效措施，保护湖体水质。

水质预测分析内容包括：

(1)在优化的引水方式下，污染物在龙子湖水域的空间分布；

(2)完成一次集中换水后，水质的前后变化情况；

(3)污染物在长时间内的变化规律。确定长周期内污染物浓度变化过程，找出周期内污染物浓度达到极值的时间。由于湖区引水方案以年为周期，污染物随时间的变化周期，也以年考虑。

7.2 预测因子

龙子湖引水水质采用黄河水质，由于黄河水体污染属有机污染，此外，龙子湖作为城市湖泊水体，其污染源也具备城市水体环境特点，以有机污染为主，因此选取高锰酸盐指数作为龙子湖的水质预测评价因子比较适宜。

7.3 计算参数选取

7.3.1 初始浓度

根据规划区的水体功能区划要求，龙子湖的水质目标达到Ⅳ类(《地表水质量标准》3838—2002)。因此，在计算预测中，给定一个不利的初始条件，湖体中预测因子高锰酸盐指数的初始浓度取为Ⅳ类水质标准的限值10 mg/L。在换水过程中，经过一段时间的演变，如果浓度下降，说明湖体具有自净能力，能维持水质目标，如果浓度上升，说明水质有累积恶化现象。

7.3.2 高锰酸盐指数的降解系数

K为高锰酸盐指数的降解系数。K值受水流条件和温度条件的影响，变幅较大，必须利用当地水文水质监测数据进行率定和验证。由于龙子湖水系处于规划中，无实测数据，因此参考有关水库方面关于COD降解研究，按较不利条件考虑，K在20℃时的值取为0.004 (1/d)，水温影响修正如下：

$$K_T=K_{20℃}\times 1.047^{(T-20)}$$

类比鸭河口水库、北京市中“六海”等水域，预测龙子湖水温季节分布值，据此计算K值随水温季节变化的修正值，见表31。

表31 龙子湖各月平均水温预测值及高锰酸盐指数的降解系数K的修正值

月份	水温(℃)	降解系数K(1/d)
1	5.5	0.002 1
2	4.3	0.001 9
3	7.1	0.002 2
4	13.0	0.002 9
5	18.9	0.003 8
6	24.4	0.004 9
7	26.8	0.005 5
8	28.0	0.005 8
9	24.1	0.004 8
10	20.2	0.004 0
11	15.1	0.003 2
12	9.3	0.002 4

7.3.3　高锰酸盐指数的入流浓度

计算中引水高锰酸盐指数的浓度取2002～2003年黄河监测值的年平均值，为6.13 mg/L。

7.4　一次集中引水对水质的改善效果分析

效果分析的代表时期选用夏季第一次集中引水期，为6月11日～6月25日，周期15天，引水方式见表32，即东口先单独引水3天(流量1.67 m^3/s)，然后东、西口同时引水9天(流量分别为1.67 m^3/s和0.83 m^3/s)，接着东口关闭、西口继续引水3天(流量为0.83 m^3/s)至结束。

表32　集中引水(夏季第一次)方式

运行期	时段	引水总量(m^3/s)	东口引水量(m^3/s)	西口引水量(m^3/s)	天数
集中引水期	6月11～13日	2.5	1.67	0	3
	6月14～22日		1.67	0.83	9
	6月23～25日		0	0.83	3

7.4.1　高锰酸盐指数浓度随时间的变化

图21为龙子湖各区高锰酸盐指数浓度及其全湖平均值随引水时

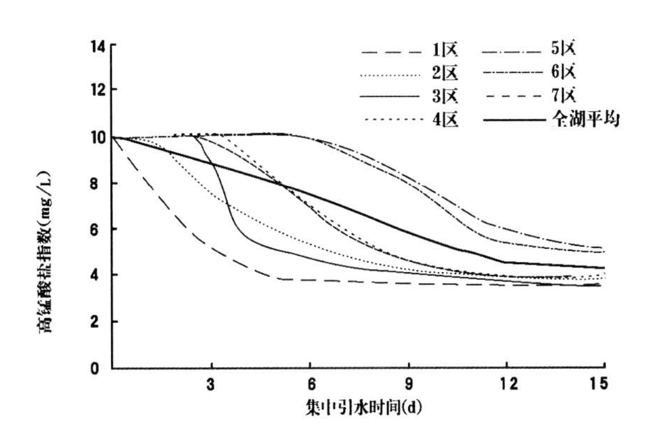

图21　一次集中引水期内(15天)高锰酸盐指数随时间的变化

间的变化曲线。从曲线图可看到，就全湖平均值来看，高锰酸盐指数的变化过程表现出下降规律。在引水期内的前12天，高锰酸盐指数下降较快，其值从10 mg/L降至6.49 mg/L，下降了3.51 mg/L，下降幅度达35%，水质接近Ⅲ类标准值(6 mg/L)。此后3天，高锰酸盐指数下降速度变缓，在引水第15天，即集中引水结束时，高锰酸盐指数从6.49 mg/L降至6.28 mg/L，只下降了0.21 mg/L。

从各区高锰酸盐指数的变化规律来看，可分为3种类型。

1) 1区型

在整个引水期内，高锰酸盐指数随引水时间的变化过程可分为两个阶段。第一阶段，在引水初期，高锰酸盐指数迅速下降，由初始的10 mg/L降至6.2 mg/L左右(低于全湖平均值)，下降幅度达38%，下降时间持续6天；第二阶段，高锰酸盐指数下降速度减缓，并逐渐维持在恒定值6.0 mg/L左右(满足Ⅲ类水质要求)。

2) 2、3、4、7区型

高锰酸盐指数随引水时间的变化过程可分为三个阶段。在引水初期，高锰酸盐指数基本不发生变化；至引水的第1～3天，高锰酸盐指数开始迅速下降，下降时间为9～11天，浓度值可降至6.1～6.2 mg/L；此后(引水期的后5天)，高锰酸盐指数基本维持在6.0～6.1 mg/L左右(低于全湖平均值)。

3) 5、6区型

高锰酸盐指数随引水时间的变化趋势与2、3、4、7区型相似，也可分为三个阶段。但是，高锰酸盐指数开始迅速下降的时间推迟，发生在集中引水的第6天；迅速下降段维持在第6～12天，浓度值可降至6.8～7.2 mg/L；在引水第12天以后，下降幅度减缓，并以小幅下降的趋势一直维持至第15天引水结束，仍未出现持平现象，浓度值最终降至6.5～6.7 mg/L。在整个引水期，此两区的高锰酸盐指数始终高于全湖平均值，并且在7个区中，浓度值最高。

上述规律表明，各区高锰酸盐指数随引水时间的变化曲线和分区与引水口的距离密切相关。由于各区与引水口的距离不同，引水水流到达各区需要的时间不同，因此湖体各区高锰酸盐指数出现迅速下降的时间也各异。1、2区靠近引水口，在引水初期，便受到引水稀释的影响，发生水体置换，高锰酸盐指数迅速下降；其他分区距离引水口越远，水流推进到达的时间越长，高锰酸盐指数下降的时间越晚。其中，对距离最远的5、6区，在引水第6天，高锰酸盐指数才开始迅速下降。

由于各区高锰酸盐指数开始下降的时间先后出现，导致了各区下降达持平的时间也因与引水口的距离而依次推迟。对1区，引水第6天以后，高锰酸盐指数基本维持不变；2、3、4、7区，在引水第12天以后，高锰酸盐指数基本维持恒定值；而靠近出水口的5、6区，在引水第12天以后，高锰酸盐指数下降幅度减缓，并以小幅下降的趋势一直维持至第15天引水结束，仍未出现持平现象。

以上变化规律是湖体中COD的生物降解与水体置换两方面共同作用的结果。前者是湖体自身的净化机制，COD通过水体中的微生物(尤其是细菌)，发生生物降解，高锰酸盐指数下降。后者则是通过外部引水，使水体发生置换，将外来的清洁水稀释原湖体中较差的水，使污染物浓度降低。内因和外因的综合作用，使得湖体中高锰酸盐指数下降，但在不同的引水时段，不同的湖体分区，两种作用占据的地位不同。

对1区，由于靠近东引水口，从开始引水至整个引水期，水体置换作用都占据着主导地位，并且置换作用对高锰酸盐指数的降低效果非常显著。在引水初期，清洁水稀释原有湖水，使浓度值大幅度降低，直到降至接近引水浓度，此后湖体不断被新水置换，使浓度值维持在引水浓度水平。对2、3、4、7区，在引水的前1～3天，由于引入的水流还未到达，水体基本上仍为原来湖水，此时湖体中主要发生生物降解作用，且降解作用对高锰酸盐指数的削减并不显著；当引水1～3天后，新引入的清洁水推进到2、3、4、7区，并开始发生强烈的置换作用，高锰酸盐指数迅速降低，此时，水体置换占据主导地位。5区和6区由于距离引水口更远，引水到达的时间更晚，因此水体的置换作用使高锰酸盐指数迅速下降的时间更晚。

由以上分析可见，湖内的水质参数有很强的动态特性，了解这些对于湖泊设计是很有意义的。

7.4.2 换水效果分析

表33为一次集中引水前后，各区的高锰酸盐指数及全湖平均值的变化情况。在进行完一次集中引水后，水体中的高锰酸盐指数大幅度降低，其浓度值(全湖平均值)由初始的10.0 mg/L降为6.28 mg/L，即由Ⅳ类水质限值(10 mg/L)降到接近Ⅲ类水质限值(6 mg/L)，下降幅度为37.2%。可见，一次集中引水能有效地实现湖体中高锰酸盐指数的净化，只要入流水质满足水质要求，集中换水可以有效保护龙子湖水质，使其满足保护目标。

表33 集中引水前后高锰酸盐指数变化

(单位：mg/L)

项目	1区	2区	3区	4区	5区	6区	7区	全湖平均
湖体初始浓度	10.0	10.0	10.0	10.0	10.0	10.0	10.0	10.0
引水浓度	6.13	6.13	6.13	6.13	6.13	6.13	6.13	6.13
一次集中换水后的湖体浓度	5.99	6.05	6.10	6.10	6.72	6.54	5.99	6.28
下降幅度(%)	40.1	39.5	39.0	39.0	32.8	34.6	40.1	37.2

从各区的高锰酸盐指数变化情况来看，1、2、3、4、7区，在完成一次集中引水后，水体高锰酸盐指数均低于全湖平均值6.28 mg/L，各区下降幅度均高于全湖平均。其中，以1区、7区的下降幅度最大，为40.1%，其次为2区、3区和4区，下降幅度分别为39.5%、39.0%和39.0%。全湖以5区、6区的高锰酸盐指数最高，分别为6.72 mg/L和6.54 mg/L，高于全湖平均值，其下降幅度分别为32.8%和34.6%，低于全湖平均。说明，水质参数在空间上表现出明显的区别。

7.5 水质(高锰酸盐指数)年内演化规律计算

水质演化规律计算基于优化选定的引水方式进行，湖体全年引水流量分配如下：1、2、12月份为冬季停水期，湖体停止引水；3月初～

11月底为春秋季节的基流引水期，引水流量为0.4 m^3/s。6、7、8月份分别进行3次集中引水，每次引水时间为15天，引水流量为2.5 m^3/s。3次集中式引水时间分别为6月11～25日、7月8～22日、8月4～28日。每次集中引水期，东口引水流量为总引水流量的2/3，即1.67 m^3/s，西口引水流量为总引水流量的1/3，即0.83 m^3/s。东口先引水12天，在东口运行3天后，再开放西口，运行12天，即东口先引水3天，第4天开西口，此后东西两引水口共同运行9天，第13天关闭东口，西口再单独引水3天。计算结果用曲线图表示出来，如图22所示。

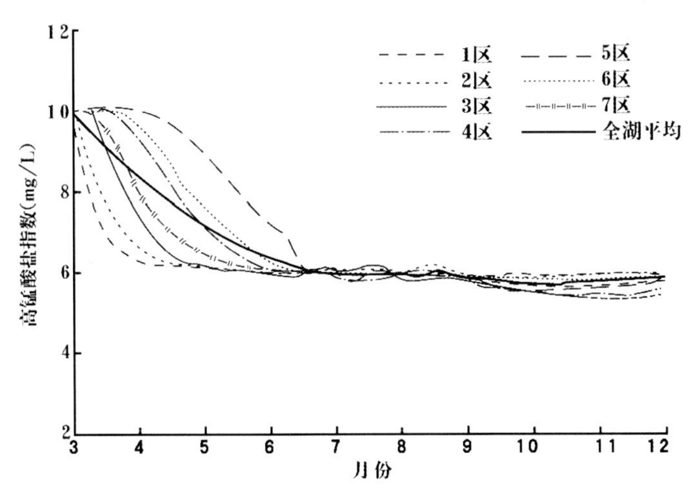

图22　一年引水期内(3月初～11月底)高锰酸盐指数随时间的变化

7.5.1　全湖平均值的年内演化

从全湖平均值来看，在9个月的引水期内，高锰酸盐指数随时间的变化非常明显，其变化可分为三个阶段：3月初～第一次集中引水(6月11日)前的基流引水期，湖体高锰酸盐指数迅速下降，浓度值从10 mg/L降至6.18 mg/L，下降了3.82 mg/L，接近引水浓度；第一次集中引水(6月11日)至第三次集中引水结束(8月28日)的集中引水期，高锰酸盐指数随集中引水时段在6 mg/L左右小幅度上下波动；8月底～11月底的基流引水期，高锰酸盐指数先缓慢下降，后略有回升，浓度值最终达到5.77 mg/L，满足Ⅲ类水质要求(6 mg/L)。

在停水期(12月、1月、2月)，由于水体滞留，受生物降解作用，高锰酸盐指数将继续降低，因此在选定的引水方式下，湖体运行一年后高锰酸盐指数可从10 mg/L降至6 mg/L以下，水质类别从Ⅳ类转为Ⅲ类，水质得到较为显著的改善。

7.5.2 各区的水质演化曲线比较

各区的变化曲线在总体上与平均值基本一致，均呈下降趋势，但也表现出部分差异，反映了各区空间分布(距离引水口远近)对水质演化的影响，其影响表现在两方面：①曲线形状；②曲线基本出现持平(伴有小幅波动)的时间。

从图22曲线形状来看，对于7个分区，变化曲线可分为3种类型。

1)1、2区型

高锰酸盐指数的变化呈先下降后持平的两段式。从3月初刚开始引水(基流期)，水域由于清洁水的稀释作用，高锰酸盐指数开始急剧下降，至4月底，已降至6.15 mg/L，接近引水浓度。此后，高锰酸盐指数下降缓慢，并逐渐维持在6 mg/L，此阶段，水体已基本完全置换，生物降解作用开始占主导地位。期间，由于水体浓度已降至引水浓度以下，当进行集中引水时，水体高锰酸盐指数会出现小幅度增加。

2)3、7区型

在引水期的最初8天，高锰酸盐指数略有增加(最高增至10.03 mg/L)，这主要是由于在基流期，引水还未推进到远处，水体蒸发下渗及外来污染源汇入导致高锰酸盐指数增加的趋势要略强于水体自身的生物降解作用；此后，水体中的高锰酸盐指数开始急剧下降(引水进入，开始发生水体置换)，至5月底，高锰酸盐指数降至6.0 mg/L；5月底～8月底，高锰酸盐指数随集中引水时段上下波动，但最终，浓度值有所下降，这主要是由于生物降解作用使水体高锰酸盐指数已降至引水浓度以下，当进行集中引水时，因水体置换，浓度值会出现小幅增加，此后降解使其降低，最终生物降解作用会导致浓度值有所下降，降至5.8 mg/L左右，满足Ⅲ类水质要求；8月底以后，出现缓慢的小幅度回升(可能是水体蒸发下渗及外来污染源汇入、引水置换等综合导致高锰酸盐指数增加的趋势要略强于水体自身的生物降解作用)，并最终接近6 mg/L，两区的浓度值均要高于全湖平均值。

3)4、5、6区型

曲线形状与分区3、7型类似。且引水初期高锰酸盐指数略有增加的持续时间较长：4区持续至3月18日，浓度值最高增加至10.03 mg/L；5区持续至4月4日，浓度值最高增加至10.06 mg/L；6区持续至3月22日，浓度值增至10.04 mg/L。在小幅回升阶段，此三区的高锰酸盐指数的上升幅度要低于全湖平均值。

从曲线出现基本持平的日期来看，分区与引水口的距离越远，时间依次推迟。1区和2区的持平时间出现在3月底，即基流期；3、7区的持平时间出现在5月底，也处于基流期；而4、5、6区的持平时间均出现在第一次集中引水结束时(6月25日)，换言之，一次集中引水可加剧水体高锰酸盐指数的下降，使其出现持平的时间提前。

此外，还对龙子湖各月的COD_{Cr}平均最大允许日污染负荷(W)进行了计算，结果见表34，年允许污染负荷总量为103.42 t。

表34 龙子湖各月的COD_{Cr}平均最大允许日污染负荷 (单位：kg/d)

月份	平均最大允许日污染负荷量W
1	160.1
2	151.6
3	172.3
4	225.9
5	296.1
6	380.9
7	425.2
8	449.2
9	375.7
10	314.2
11	248.7
12	190.6

7.5.3 水质演化计算的小结

在选定的优化引水方式下，模拟预测了龙子湖集中引水对水质(选取高锰酸盐指数为代表因子)的改善效果，模拟了在长时间内(湖体运行一年)的水质演化规律，得出的主要结论如下：

(1)一次集中引水对水质具有明显的改善作用，15天的引水，可使高锰酸盐指数由Ⅳ类水(10 mg/L)降到接近Ⅲ类水(6 mg/L)。

(2)高锰酸盐指数的降低来自湖体自身生物降解与外部引水置换稀释双方面的共同作用。外部引水置换稀释的效果较水体生物降解作用更显著。湖体各区高锰酸盐指数迅速下降的时间均发生在水体发生强烈置换的时段。

(3)一次集中引水期的第1～第12天，是全湖高锰酸盐指数大幅度下降的时段，此后的3天内，湖体高锰酸盐指数缓慢下降，并逐渐趋于恒定。

(4)距离引水口的远近不同，导致了完成一次集中引水后全湖各区高锰酸盐指数的空间分布差异。其中1、2、3、4、7区，水体置换率较高，水质改善效果较显著，高锰酸盐指数下降幅度高于全湖平均，尤其以1、7区最高；5、6区的置换率最低，因此换水效果最低，高锰酸盐指数下降幅度低于全湖平均。

(5)湖体运行一年后，高锰酸盐指数可从10 mg/L降至6 mg/L以下，水质类别从Ⅳ类转为Ⅲ类，水质得到显著改善。

(6)在年变化曲线的急剧下降段(6月以前)，由于4、5、6区的水体置换率低，高锰酸钾指数下降幅度较小，在6月初进行一次集中引水，可明显改善上述水域的水质，使其浓度迅速降低，从而遏制夏季湖体水质恶化。

(7)各区年变化曲线中的持平段，又表现出小幅波动。在集中引水期，伴随集中引水，高锰酸钾指数先上升后下降；在基流期，浓度值略有回升，此阶段水体置换已不再具有改善水质的作用，高锰酸钾指数变化是水体置换、生物降解、外来污染源、蒸发下渗等综合作用的结果。其中，只有生物降解起到降低浓度的效果。由于4、5、6区的水体置换率较低，因此生物降解作用相对较强，浓度值回升幅度小。

(8)预测得到龙子湖各月的 COD_{Cr} 平均最大允许日污染负荷，其中最高值出现在8月，约为449.2 kg/d，最低值出现在2月，约为151.6 kg/d，全年允许污染负荷总量约为103.42 t。

(9)总体来看，在保证黄河引水水质、保证截污、保证替换水量、保证按优化方案进行引水的前提下，在自净能力及换水的双重作用下，龙子湖的水质能长期保证满足既定的水质保护目标(Ⅲ类水)，不存在累积恶化的现象。

(10)即使在某些时刻发生了较为严重的污染，某些时段出现了水质超标的现象，在以上条件下，龙子湖也有恢复水质目标的能力。

8 基于防止水环境恶化的引水量季节调配

龙子湖既然常年引黄河水作为补给，而且一年中引用的总量是受到限制的，那么，在设计及数值模拟必须考虑的一个问题就是，引水量在年内如何分配才对防止湖泊水质恶化最有利？如何引才合理？这个问题需要在对湖泊水质随季节变化规律有深刻认识的基础上才能正确解决。这也是以后进行研究的一个基础。

根据对北京市区“六海”、筒子河、水碓湖的调查监测结果表明，水体的富营养化现象与年内自然水温的季节变化关系密切。夏季，水温也较高，藻类生长旺盛并且大量繁殖，致使水体富营养化严重，水体水质较差。自然水温为26～27℃，是水体发生富营养化的限值。在总磷浓度达到发生富营养化标准的条件下，夏季当自然水温达到或超过限值时，有可能暴发严重富营养化；水温达不到26℃时，一般不会发生严重的富营养化现象；夏季过后，当自然水温降低到25℃以下时，原来发生过富营养化的水体，其富营养化现象开始发生明显衰退。6、7、8月三个月份是北京地区富营养化暴发的时期，而其他季节未发现富营养化现象。这个现象在华北广大的地区都是非常接近的。龙子湖位于华北，水温的季节变化状况与北京相近，因此可参考北京的情况优化水资源调配方案。

为防止6、7、8月份湖体水环境恶化，优化调配方案主要从以下几方面考虑：

(1)考虑到湖体水面蒸发及底部下渗，水体有一定的消耗，同时，为防止污染物在湖体内富集导致水质恶化，湖体需维持一定的引水量，一部分补充水体损失量、一部分进行水体置换。

(2)12月初～翌年3月初为冬季寒冷期，可停止引水。

(3)在春季、秋季，气温较低，中原、华北地区的水体不会发生富营养化，引水流量可以维持一个适当的流量(基流)。

(4)夏季(6、7、8月份)是富营养化易发期，应在此3个月份进行几次集中引水，通过换水将营养物质带出，减少营养物质在湖内的积累，控制水环境恶化。

制定的湖体年内引水时间安排见表35和图23，各期间的引水量及引水方式说明如下：

(1)冬季(12、1、2月份)为停水期。该期间水面结冰，水量损失很小。根据北京市“六海”的经验，经过一个冬季的停水后，水位一般下降0.3～0.5 m，符合一般水域“冬消夏涨”的自然规律。

(2)3月初～11月底维持基流引水，引水流量为0.4 m^3/s。该期间水面蒸发耗散量较大，龙子湖与北京市中“六海”面积相同，根据“六海”经验，需要约0.1 m^3/s的补给流量才能维持水面不下降，其余0.3 m^3/s的流量从排放口排出，起到更换水体的作用。3～5月份及9～11月份气温较低，水体不会发生富营养化。因此，只需要提供一个较小的维持流量即可，这样可以节约宝贵的水资源。根据实际情况，引水基流还可以减小(建议不低于0.2 m^3/s)。

(3)在夏季(6、7、8月份)，除了维持以上基本流量以外，考虑进行3次集中引水，每次引水时间为15天，引水流量为2.5 m^3/s，即在基流引水流量的基础上，流量再增加2.1 m^3/s。两次集中引水期的间隔时间为12天。三次集中式引水时间初步设定在6月11～25日、7月8～22日、8月4～28日。

表 35　龙子湖年度引水分配方案

运行期	时段	引水总量 (m^3/s)	东口引水量 (m^3/s)	西口引水量 (m^3/s)	天数
停水期	1月1日～2月28日	0	0	0	59
基流引水期	3月1日～6月10日	0.4	0.4	0	102
集中引水期	6月11～13日 6月14～22日 6月23～25日	2.5	1.67 1.67 0	0 0.83 0.83	15
基流引水期	6月26日～7月7日	0.4	0.4	0	12
集中引水期	7月8～10日 7月11～19日 7月20～22日	2.5	1.67 1.67 0	0 0.83 0.83	15
基流引水期	7月23日～8月3日	0.4	0.4	0	12
集中引水期	8月4～6日 8月7～15日 8月16～18日	2.5	1.67 1.67 0	0 0.83 0.83	15
基流引水期	8月19日～11月30日	0.4	0.4	0	104
停水期	12月1～31日	0	0	0	31

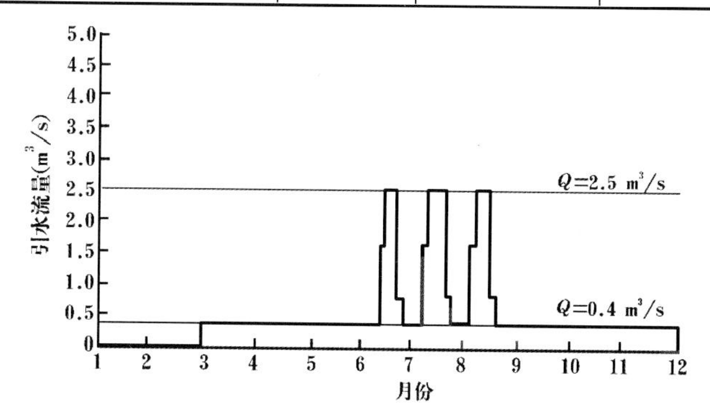

图 23　拟定的龙子湖引水流量季节分配曲线

根据前面计算选定的优化引水方案，一次集中引水过程如下：东口引水流量为总引水流量的2/3，即1.67 m^3/s，西口引水流量为总引水流量的1/3，即0.83 m^3/s。东口先引水12天，在东口运行3天后，再开放西口，运行12天，即东口先引水3天，第4天开西口，此后东西两引水口共同运行9天，第13天关闭东口，西口再单独引水3天。夏季集中引水的目的是为了加快水体的置换，防止发生富营养化。

9 湖体总磷浓度及富营养化趋势预测

9.1 一次集中引水过程中湖体总磷浓度的变化

湖体总磷浓度给定一个不利的初始值，数值模拟了湖水总磷浓度在一次集中引水过程中的变化情况，目的在于了解一次集中引水对总磷浓度的稀释效果。

9.1.1 总磷浓度的计算初始值及入流值

给定龙子湖全湖总磷浓度值0.05 mg/L作为计算的初始条件，这个数值介于中度营养和富营养之间，是人为选择的一种不利的临界情况。引水的总磷浓度给定为0.033 85 mg/L，这是黄河水的水质实测数据(2001年平均值)。

集中引水效果预测分析的代表时期选用夏季第一次集中引水期6月11～25日，周期为15天，引水方式为选定的优化方式，即东口先单独引水3天(流量1.67 m^3/s)，然后东、西口同时引水9天(流量分别为1.67 m^3/s、0.83 m^3/s)，最后西口单独引水3天(流量为0.83 m^3/s)。

一次集中引水过程结束后，如果湖泊总磷浓度下降，说明引水可有效地抑制富营养化的发生；如果总磷浓度不变或上升，则说明集中引水不能抑制富营养化。

9.1.2 总磷浓度随时间的变化

图24为龙子湖各分区中总磷浓度及其全湖平均值随集中引水时间的变化过程曲线。由图24曲线可见，在整个引水期内，总磷的全湖平均值随引水时间的变化呈下降趋势。下降过程分为两段：在集中引水

期的第1～12天，总磷浓度下降速度较大；在第13～15天，下降速度减缓，并逐渐持平。

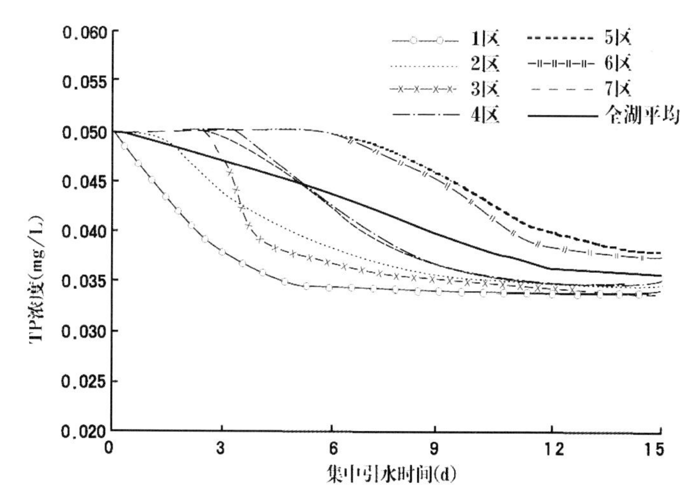

图24　一次集中引水期内(15天)总磷浓度随时间的变化

从各分区来看，由于各区距离引水口的远近不同，引水水流到达分区的时间先后不一，导致各区总磷浓度值随引水时间的变化规律不同。按其规律特点可分为以下3类区域。

1）1、2区

总磷浓度随引水时间的变化过程可分为两个阶段：第一阶段，在引水期的第1天至第6～9天，总磷浓度低于全湖平均值，下降幅度较大；第二阶段，后6～9天，浓度下降速度减缓，并逐渐维持在恒定值。

这是因为第1、第2两个湖区位于引水口处，引水开始后，首先接纳来水，总磷浓度直接得到稀释，因此浓度比其他湖区下降得早而快。可见，集中引水对1、2两个湖区的富营养化抑制效果最明显。

2）3、4、7区

该3个湖区总磷浓度随引水时间的变化过程可分为三个阶段。在引水初期的第2～4天，总磷浓度不发生变化；2～4天后，总磷浓度开始迅速下降，下降持续到第12天；此后(引水期的后3天)，总磷浓度基本维持在0.034～0.035 mg/L，低于全湖平均值。

该3个湖区距离引水口比1、2区远，比5、6区近，因此在引水过程中作为“第二梯队”接纳来水，浓度衰减比1、2区滞后，比5、6区早。

3）5、6区

总磷浓度随引水时间的变化趋势与分区3、4、7型相似，也可分为三个阶段。但总磷浓度维持在初始值的时段延长，至集中引水的第6天，总磷浓度才开始下降；至引水第12天，浓度值降至0.038～0.039 mg/L；在第12天以后，总磷浓度下降幅度减缓，并以小幅下降的趋势一直维持至第15天引水结束。

与1、2区相比，5、6区浓度值开始下降的时间滞后大约一周，下降的速度也较为缓慢；在引水结束后5、6区的浓度值依然略高于1、2区。这些都是距离引水口远造成的。

4）小结

可见，湖体总磷浓度下降的快慢及其最终下降幅度，与湖区和引水口之间的距离密切相关。靠近引水口的湖区，水体首先接纳来水，因受稀释作用，总磷浓度下降早、速度快、幅度大。距离引水口越远，水体接纳引水的时间越晚，总磷浓度下降滞后、速度偏慢，最终下降幅度也偏低。

对7个分区的总磷下降幅度进行排序，可得到：分区3 > 分区1 > 分区7 > 分区2 > 分区4（>全湖平均）> 分区6 > 分区5。各区完成一次集中换水后的总磷浓度值及其下降幅度见表36。可见，水质改善效果以1区和2区最为显著，5区和6区最低。

9.2 湖体总磷浓度年内演化规律及富营养化趋势

水体富营养化是一个缓慢渐变的过程，绝大多数水体富营养化是外界输入营养物质在水体中不断富集造成的。磷元素流入湖泊以后，持久性较强，大部分溶于水体中，少部分沉淀于底部，一部分会被动植物吸收。由于湖泊水面蒸发，水量持续减少，而磷元素却不能随水分蒸发掉(与盐相似)，因而发生浓缩作用，磷浓度会逐渐增大。这个浓缩过程虽然十分缓慢，但如果没有水体的交换，长期(比如几年或十几年)持续下去终会达到富营养化的程度。因此，富营养化现象的发生与否与水体中营养物质的长时间演化规律有密切关系。

表 36　集中引水前后的总磷浓度变化

(单位：mg/L)

项　目	1区	2区	3区	4区	5区	6区	7区	全湖平均
湖体初始浓度	0.05	0.05	0.05	0.05	0.05	0.05	0.05	0.05
引水浓度	0.033 8	0.033 8	0.033 8	0.033 8	0.033 8	0.033 8	0.033 8	
一次集中换水后的湖体浓度	0.033 9	0.034 3	0.033 8	0.034 5	0.037 8	0.037 2	0.034 3	0.035
下降幅度(%)	32.2	31.3	32.4	31.1	24.4	25.6	31.4	28.9

本研究中给定了一个不利的初始条件，考虑水面蒸发的浓缩作用，在选定的引水方式下，计算模拟了湖体总磷浓度年内演化规律。计算目的在于了解水体是否会发生长期浓缩现象，在运行一年以后，如果总磷浓度比初始值增加，说明水质存在累积恶化现象，如果终点浓度低于初始浓度，说明水质不会累积恶化。

9.2.1　计算条件

计算的初始时刻为3月1日，龙子湖总磷浓度值给定为0.05 mg/L作为计算的初始浓度，这个数值介于中度营养和富营养之间，是选定的一种不利的临界浓度。引水的总磷浓度给定为0.033 8 mg/L，是黄河水的水质实测数据(2001年平均值)。

区域蒸发量约为1 300 mm，多年平均降雨量约为600 mm，净损失量约为700 mm。在此不考虑降雨量因素，只考虑蒸发。由于冬季(12、1、2月)水面结冰，蒸发量很小，不予考虑，其余9个月内蒸发量按日均5 mm计算，这样年蒸发量为1 350 mm，是一种偏于不利的条件。

以前述一年期的引水方式作为引水输入条件。引水时间为9个月，夏季含有3次集中引水，一次集中引水的方式是前述优化方式。

9.2.2 浓度演变过程分析

以一年引水期(9个月)为一个周期,计算预测了龙子湖水体中总磷浓度的演化规律，结果如图25所示。

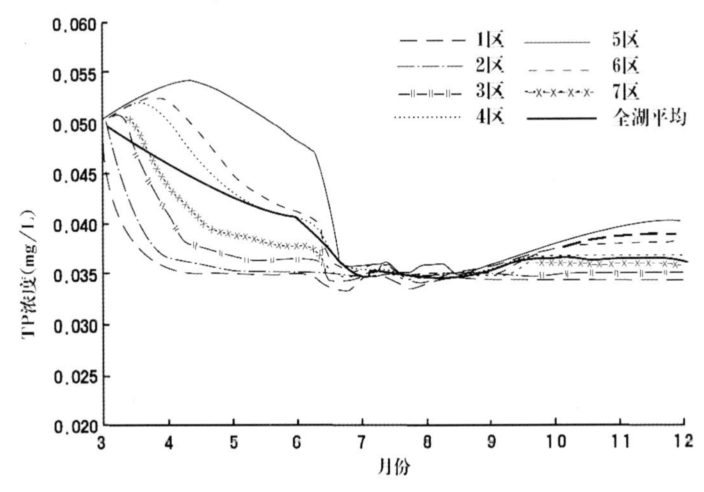

图25　一年引水期内(3月初～11月底)总磷浓度随时间的变化

就总体趋势而言，经过一次9个月的引水后，湖体平均总磷浓度下降，由最初的0.05 mg/L降至0.037 mg/L。如果考虑停水期(12月、1月、2月)的水质变化，湖体损失量按3 mm/d计，则经过3个月的水体滞留、浓缩作用后，湖体的总磷浓度最终变为0.043 mg/L。可见，虽然在8月～翌年2月的基流期及停水期间，湖体总磷浓度有所增加，但由于在3～6月的基流引水及6、7、8月的3次集中引水期间，总磷浓度可通过水体置换得到大幅度降低，因此经过一年的水质演变后，湖体总磷浓度呈下降趋势，换言之，总磷在水体中不会发生多年富集作用，水体发生富营养化的可能性很小。

从各区总磷浓度演化规律来看，各区的浓度值在平均值上下波动，其中，1、2、3、7区的浓度值低于全湖平均，而4、5、6区的浓度值要高于全湖平均，尤其以5区的浓度值最高。

就演化曲线的形状而言，各区的变化趋势总体上与全湖平均值一致，即曲线波动较大，有下降、有上升，但经过夏季第一次集中引水后，浓度值迅速下降。1、2区由于靠近引水口，在引水初期，便发生水体置换，因此总磷浓度迅速下降。其他分区引水到达需要一段时间，因此在发生强烈的水体置换前，水体中的总磷浓度经历一个增长期间。其中，5区的浓度上升幅度最大，最大值可达0.054 mg/L，高于初始值的持续时间最长(3月1日~5月15日，约75天)。因本计算中假定的浓度初始条件较为不利，即使5区的总磷浓度达0.054 mg/L(在富营养化可发生范围内)，因为该期间天气较冷、水温不超过20℃，不会发生富营养化。

第五节　水环境保护措施

围绕龙子湖的水环境问题，前面已做了大量的工作，包括环境现状调查与监测、污染源预测、水流数值模拟、水体置换模拟、工程布置方案优化、水资源配置优化、水质演化模拟、富营养化分析等。基于以上工作，又考虑到其他专业配合，提出了水环境保护措施，这些措施都被设计部门纳入设计中。这些措施有一部分与第五章部分重复，但为了完整起见，这里把整个保护措施列在下面。

1　引水水质控制措施

确保水质满足既定目标是未来龙子湖水环境保护的首要任务。根据计算研究，引水水质是龙子湖水质的控制性因素。因此，首先要从源头上对水质进行控制。由于龙子湖引水水质受黄河水质的影响，因此水质控制措施应从以下四方面考虑。

1.1　采取有效的沉沙措施

黄河水体泥沙含量较高，在水体引入之前，应预先进行沉沙，祛除水体中大部分泥沙颗粒，水体中的一部分污染物质受泥沙吸附作用随着泥沙的沉淀而祛除。规划设计中已经考虑了沉沙池。

1.2　对引水河道进行彻底污染治理

根据规划，拟采用河道向龙子湖补水。河道现状污染较严重，沿途生活、工业污水汇入，为了保护水系的水质，将来必须彻底截污，清除沿途垃圾，否则无法确保水质。建议在河道两侧建立保护区，禁止周边污水、垃圾等随意排放现象。沿河进行绿化，建防护林，加强渠道的水质保护管理工作。

由于引水河道的一部分处于规划的新区中，建议结合城市布局规划进行统筹设计，将建筑、水质保护、景观有机地融合在一起，形成富有特色的景观绿化走廊。

此外，夏季下大雨时，径流一般比较浑浊，也会将大量城市污染物质带入河道。因此，要对雨水进行分流或者采取相应的净化措施。如果以上措施难以实施，还可以考虑铺设暗管作为供水渠道，这样引水水质不受沿途外界因素的干扰，更有保证。

1.3 对引水水质进行定期监测

定期进行引水水质监测，随时掌握水质动态，及时发现问题，采取相应对策措施。

1.4 与黄河上游的水资源保护规划相协调

黄河来水水质与黄河上游流域的水土保持及水资源保护情况密切相关，这个因素设计面较广，但新区的水环境保护规划应该与黄河上游的水资源保护规划相协调。

2 城市污染控制管理措施

2.1 对连接渠道进行截污治理

有两条排水渠道与龙子湖相连，目前是城市的排污渠及泄洪渠，污染十分严重，平时流淌的都是城市生活污水(平时流量约5 m^3/s)。如果不进行治理，污染物可能会扩散至湖区，特别是行洪时，洪水可能会出现倒灌入湖现象，从而影响水质。必须实施彻底的污水截留，建设污水管网，让污水流进污水处理厂。

2.2 湖周实现彻底截污

生活污水是城市水系最重要的污染源，生活污水截流是治污的根本，因此龙子湖水域周围城区必须彻底实施截污。另外，由于城市雨水较脏，而且雨水管经常被用做排污管，所以必须实施污/雨分流。

合理布置功能区，限制污染企业的开发，对餐厅、宾馆、旅游设施、自由市场等应合理布局，并严格采取污水处理措施，排入城市污水管网，禁止将污水直接排入龙子湖。

2.3 加强城市卫生管理

加强区域内的卫生管理，使街面保持干净，减少因风吹、雨水等因素将脏物带入河流。对区域内的市场、餐馆、外来人口聚居区应进行严格的卫生管理，对建设工地卫生实行严格监督。

2.4 提高环卫部门管理水平

环卫部门应提高管理水平，杜绝清洁人员向河道倾倒垃圾的情况(北京市这种情况较突出)发生，严格要求从业人员遵守规定，明确责任，建立相应的处罚措施。

2.5 合理布置垃圾处理站点、公共厕所

健全垃圾收集站点网络(尤其是公共场所)，让人们垃圾有处可弃，减少因无垃圾站(箱)而导致的随意丢弃。

2.6 加强水系环境监督

成立水系环境执法监督队伍，依法行使职责，惩罚排污、弃污者。

2.7 加强湖体保洁工作

加强河道的保洁工作，将岸边枯枝落叶、尘土、垃圾等及时清扫，将坡面进行及时护理，将漂浮在水面上的脏物、树叶等及时清出。

2.8 充分发挥公众保护环境的积极性

河道管理部门应建立与沿线居民的沟通渠道，公布举报电话，让居民有机会参与对污染源的监督，及时发现问题，进行处理。也可以实行“门前三包”等措施，对水环境实行有效的监督和保护。

2.9 加强教育宣传，增强群众的环保意识

沿河竖立一些警示牌，呼吁人们注意保护水环境。另外，利用新闻媒体的优势，加强环境保护的宣传。

3 水体置换优化措施

在对水系污染源进行综合治理的基础上，可通过合理调度引水，改善湖体水质。如果湖体发生水质恶化现象，水体置换稀释是最可靠、最简单、最有效的改善水质的方法。

建议对湖体水质定期监测，实时掌握水质变化规律，以之作为引水调度的指导。一旦湖体水质出现恶化或暴发富营养化，可立即进行集中式连续引水，改善水质。通过报告中对换水效果的计算分析可知，

通过一次 15 天的集中引水(引水总量约为 731 m^3)，水体中的高锰酸盐指数可下降 37%、总磷浓度下降 29%。

4 水资源合理调配措施

科学调配水资源，是实现区域水资源可持续利用、社会经济环境可持续发展的重要举措。具体说来，对龙子湖而言，就是要确定一个较优的引水量分配，在这个引水量下，既能保证龙子湖良好的水质，又能节约湖泊用水，实现高效利用水资源和有效保护水环境的双赢。

龙子湖的水域面积与北京市北环水系面积接近，根据对北环水系的调查，水系因蒸发作用需补给的径流流量为0.1～0.12 m^3/s。参考北环水系的数据，如果龙子湖水域蒸发补给量按 0.1 m^3/s 考虑，则龙子湖水域在维持水位不变的情况下，基流引水量可采用0.15 m^3/s。此外，为防止夏季水体发生富营养化，在6、7、8月份富营养化易暴发季节湖体应进行几次集中式引水，引水方式及引水量仍按照第六章确定的优化方案考虑。按上述引水条件计算，则龙子湖一年需要的引水量为1 270.08 万 m^3，相当于4.88 倍龙子湖水体。换言之，对于每年 6 倍龙子湖水体引水量的规划方案，可节约 1.12 倍水体水量(291.2 万 m^3)，采用4.88 倍龙子湖水体引水量，即可满足龙子湖运行期间水体水质要求。

5 生态措施

结合景观设计及环境知识普及教育，合理配置、营造部分湿地，充分发挥其生态功能。从生物多样性、水源净化、资源开发、大众娱乐与旅游以及生态环境科学研究等诸多方面进行考虑。

在污水净化方面，湿地被认为是“天然的净化器”，湿地生态系统作为农田与水体之间的一个过渡地带，可通过土壤吸附、植物吸收、微生物转化等一系列物理、化学和生物学作用降解地表径流中的氮磷营养物质，减轻地表水的污染。湿地技术已越来越受到人们的重视，并得到越来越广泛的应用。

龙子湖区域拟采用湿地技术，在湖体引水口附近及湖岸、岛屿等处设置30处湿地，对引水、雨水及其他地表径流进行处理，相关工作已由业主委托其他研究单位正在开展。通过建立湿地生态系统，不仅可以净化湖体入水水质，而且可以美化区域环境，满足人们对环境舒适度的要求。

但是，根据国内已有的经验，湿地的维护管理是发挥其长期效果的保证，国内多数湿地在运行数年之后归于废弃，丧失了其生态功能。因此，湿地建设重要，但长期运行管理更重要，这是不能忽视的问题。

此外，水生生态系统也需要有效的控制和管理。比如水边挺水植物，保持在一定的范围和规模，对于景观和生态都有利，但如果任意蔓延，也会造成生态失衡，破坏景观。因此，如何控制是设计中必须重视的问题。水中败落的植物如果不能及时清除，会在水中腐烂，不但影响景观，而且会影响水环境，在将来的运行中，维护管理也是非常重要的问题。

参考文献

[1] 日本财团法人，河道整治中心．多自然型河流建设的施工方法及要点．周怀东，杜霞，李怡庭，等译．北京：中国水利水电出版社，2003

[2] 日本土木学会．滨水景观设计．孙逸增译．大连:大连理工大学出版社，2002

[3] 叶守泽，等．水库水环境模拟预测与评价．北京:中国水利水电出版社，1998

[4] 傅国伟．河流水质数学模型及其模拟计算．北京:中国环境科学出版社，1987

[5] 李振海．自然、文化与环境——我的家园．北京:中国环境科学出版社，2003